Nicholas Boothman

COMO CONVENCER ALGUÉM EM 90 SEGUNDOS

São Paulo
2025

Grupo Editorial
UNIVERSO DOS LIVROS

Convince them in 90 seconds or less
First published in the United States by Workman Publishing Co., Inc. as CONVINCE THEM IN 90 SECONDS OR LESS: Make Instant Connections That Pay Off in Business and in Life

Diretor editorial
Luis Matos

Editora-chefe
Marcia Batista

Assistentes editoriais
Bóris Fatigati
Raíça Augusto
Raquel Nakasone

Tradução
Mayara Fortin Renato D'Almeida

Preparação
Cátia de Almeida

Revisão
Ana Luiza Candido
Daniel Rodrigues Aurélio

Arte
Camila Kodaira
Karine Barbosa
Noele Vavalle
Stephanie Lin
Valdinei Gomes

Capa
Zuleika Iamashita

Dados Internacionais de Catalogação na Publicação (CIP)
(Câmara Brasileira do Livro, SP, Brasil)

B725c Boothman, Nicholas.

Como convencer alguém em 90 segundos / Nicholas Boothman; [tradução de Mayara Fortin e Renato D'Almeida]. – São Paulo: Universo dos Livros, 2012.

240 p.

Tradução de: Convince Them in 90 Seconds or Less: Make Instant Connections That Pay Off in Business and in Life

ISBN 978-85-7930-319-7

1. Sucesso pessoal. 2. Relação interpessoal. 3. Autoajuda.

I. Título.

CDD 158.2

Universo dos Livros Editora Ltda.
Avenida Ordem e Progresso, 157 - 8º andar - Conj. 803
CEP 01141-030 - Barra Funda - São Paulo/SP
Telefone: (11) 3392-3336
www.universodoslivros.com.br
e-mail: editor@universodoslivros.com.br

Para Gracie

Agradecimentos

Eu quero agradecer a Francis Xavier Muldoon por plantar as sementes deste livro em minha cabeça e em meu coração, a Mike Freedman por regá-las com sua sabedoria, a Peter Workman por direcioná-las à luz e a Margot Herrera, minha editora na Workman, por cuidar delas até florescerem.

Agradecimentos especiais a Derek Sweeney, da Sweeney Agency Speaker Bureau, por seu constante apoio, conselho e amizade. Minha profunda gratidão a Brian Palmer, Don Jenkins, Susan Masters e à equipe da National Speakers Bureau nos EUA pela contínua torcida.

Meus sinceros agradecimentos a Mary e Lester Stanford por me acolherem nessas terras há mais de três décadas e por me apontarem sempre as direções certas.

Sumário

Introdução: aqueles 90 segundos cruciais

Este livro não é sobre uma nova teoria de negócios; ele é sobre como você pode se tornar mais bem-sucedido nos negócios e na vida, aprendendo a se conectar com seus clientes, colegas de trabalho, chefes, empregados e até com estranhos em noventa segundos ou menos.

Os primeiros noventa segundos de qualquer encontro não são apenas um momento para causar uma boa impressão. Nos primeiros instantes de qualquer reunião, você se conecta com os instintos e a essência da pessoa, com suas respostas intrínsecas. Nos primeiros segundos, o nosso instinto de sobrevivência subconsciente reage e nossa mente e corpo decidem se fogem, combatem ou interagem; se essa pessoa representa oportunidade ou ameaça, se é amiga ou inimiga. Este livro ensina a você sobre os julgamentos instantâneos que são feitos nesses primeiros momentos, e como você pode usá-los a seu favor. Uma vez que transpôs esses obstáculos e a confiança é estabelecida, você pode começar a se conectar em um nível pessoal, ou (para ser mais preciso) em um nível de personalidade. Eu vou lhe mostrar como identificar exatamente com quem e com o que você está lidando, como deve conectar-se, e como motivar, influenciar e convencer alguém.

Há uma ordem e um processo para conectar-se com os outros: primeiro você estabelece confiança com os instintos básicos, em seguida estabelece harmonia com a personalidade. O que resulta é um relacionamento, e todos os relacionamentos oferecem possibilidades infinitas. Como eu sei disso? Experiência. Agora estou anos-luz à frente de onde eu comecei e de onde esperava estar quando iniciei a jornada da vida. E eu devo muito do meu sucesso à habilidade de me conectar com as pessoas.

Passei um quarto de século dando uma boa aparência aos outros. Fui fotógrafo internacional de moda e publicidade, e aquilo me ensinou muito sobre como fazer as pessoas parecerem atraentes. Não estou falando somente de fotografar modelos profissionais – falo de pessoas de negócios, músicos, pilotos e fazendeiros. Todos eles estiveram sob a mira das minhas lentes, e eu os fiz não somente apresentarem sua melhor face, mas também se sentirem como se a vida inteira tivessem sido confiantes e carismáticos.

Qualquer pessoa que você coloca em frente a uma câmera tem um rosto, um corpo e uma atitude, cada um com uma mensagem a ser passada. Meu trabalho era dar forma àquela mensagem influenciando meus modelos com *meu* rosto, corpo, atitude, voz e palavras. Neste livro você vai aprender como usar todas essas ferramentas – rosto, corpo, atitude e voz juntamente com palavras e estilos linguísticos – para causar uma impressão e passar *sua* mensagem adiante em noventa segundos ou menos.

Eu não vou tirar uma foto sua, mas vou mudar a imagem que você tem de si mesmo e lhe mostrar como se conectar com toda e qualquer pessoa na sua vida diária de forma rápida, simples e fácil. Não importa sua área de trabalho, você é o primeiro e o mais apto no que diz respeito a conectar-se com as pessoas – justamente aquelas pessoas que estão decidindo se algo vai ou não acontecer, mais ou menos no mesmo período em que é tirada uma fotografia.

No início da minha carreira de fotógrafo, como circulei por estúdios e entre diversos clientes em Londres, Lisboa, Madri, Nova York, Cidade do Cabo e Toronto, percebi que havia certas pessoas que podiam se dar bem com qualquer um no momento em que se conhecessem. E, por conta dessa habilidade, elas estavam aptas a começar relacionamentos instantâneos, aumentar seu alcance nos negócios e rapidamente subir a escada do sucesso. Mas para cada pessoa que conheci que podia fazer essas rápidas conexões, havia meia dúzia que não podia fazê-las. Era como se algumas estivessem sempre abertas para negócios, enquanto outras estavam fechadas – pelo menos essa foi a primeira impressão. Mas, conforme eu fui conhecendo melhor essas pessoas "fechadas", vi que as primeiras impressões podem ser enganosas. A maioria daquelas que pareciam distantes, na verdade, não eram nada daquilo.

Clientes, CEOs, modelos, cabeleireiros e maquiadores, executivos de publicidade, contadores, líderes (que precisam tomar muitas decisões), pilotos, fazendeiros, músicos – pessoas que por regra nunca haviam se encontrado antes – estariam juntos em uma sessão de fotos. Aqueles que estavam abertos e aptos a conectar-se facilmente e rapidamente floresciam, enquanto aqueles que eram fechados e não interagiam pareciam deixar passar oportunidades e golpes de sorte, e acabavam passados para trás. Para a minha surpresa, cérebro, beleza e talento pareciam não ter nada a ver com isso.

Observar, influenciar e retratar comportamento e humor fazem parte das ferramentas de um fotógrafo de moda. Depois de um tempo eu comecei a reconhecer padrões de comportamento que permitiram que as pessoas tivessem uma boa relação (ou não) com as outras. Algumas seguem padrões que funcionam, enquanto outras estão presas a padrões que não funcionam.

Foi nessa época que fiquei ciente do trabalho desenvolvido pelos doutores Richard Bandler e John Grinder. Eles haviam desenvolvido uma técnica para estudo e entendimento da estrutura por trás do comportamento humano e verificaram como utilizamos a lingua-

CERTAS PESSOAS PARECIAM TER UMA HABILIDADE INATA DE CONECTAR-SE COM OUTRAS DE UM MODO CALOROSO E ESPONTÂNEO.

gem para nos programar e programar os outros. Tal técnica tinha o complicado nome de Programação Neurolinguística (PNL). A PNL revela o que está por trás de como agimos e possibilita entender como o que dizemos faz com que nós (e os outros ao nosso redor) nos comportemos. Em pouco tempo, encontrei-me estudando lado a lado com o dr. Bandler em Londres e Nova York e tirando minhas credenciais em PNL.

Desde então, tornou-se fácil para mim observar padrões de comportamento nas pessoas que eu encontrava todos os dias e perceber, especificamente, como aquelas com boas habilidades interpessoais se diferenciavam das outras, quando se aproximavam de alguém. Conforme fui me tornando mais bem-sucedido, eu frequentemente era convidado a dar palestras sobre fotografia de moda e publicidade em faculdades e clubes. Não demorou muito, no entanto, até que as minhas palestras consistissem em cinco minutos de fala sobre fotografia e 55 minutos de apresentação sobre como conectar-se com a pessoa do outro lado da lente e conseguir a cooperação dela. Logo, fui convidado a dar a mesma palestra – cinco minutos sobre fotografia – para funcionários de companhias aéreas, em faculdades, em hospitais e associações. Rapidamente, essas palestras se tornaram compromissos com grandes corporações no mundo todo.

À medida que fui me envolvendo com o mundo dos negócios, encontrando e me conectando com milhares de pessoas, eu me dei conta de que conectar-se em um ambiente de negócios é diferente de conectar-se na sua vida pessoal. Na sua vida pessoal você pode escolher seus amigos, mas no seu trabalho você não pode se desvincular de relacionamentos com colegas, empregados, superiores e clientes sem abrir mão do seu posto – você tem de construir e manter esses relacionamentos todos os dias. Este livro vai lhe mostrar tudo o que você precisa saber sobre conectar-se com as pessoas com as quais você *tem de se conectar*.

Alguns especialistas estimam que 15% do seu sucesso financeiro são determinados pelas habilidades e conhecimentos, enquanto 85% vêm da sua capacidade de conectar-se com outras pessoas e estabelecer confiança e respeito. Seja fazendo uma entrevista para um emprego, realizando uma venda, ensinando um estudante ou falando com seu chefe sobre um aumento, quanto melhor se conectar com as pessoas, maior é a sua chance de alcançar o seu objetivo. E você tem de fazer isso *rápido*! Pessoas tomam aquela decisão de "gostar"/"não gostar", "tudo bem"/"de forma alguma" em noventa segundos ou menos. Como lidar melhor com esses noventa segundos é o que você vai aprender aqui.

> VOCÊ PODE ESCOLHER SEUS AMIGOS, MAS NÃO PODE ESCOLHER SEUS COLEGAS DE TRABALHO.

Vamos cobrir tudo, desde o impacto não verbal até a sua imagem pessoal, desde as suas habilidades de diálogo até sua habilidade de se conectar e influenciar grupos. Você vai ler sobre situações reais que exemplificam, em vez de dizerem como fazer as novas e já existentes conexões trabalharem a seu favor, bem como sobre diversas técnicas e táticas que o ajudarão a fazer as conexões de que você necessita para ter sucesso no tão competitivo mercado de trabalho atual.

Um dos prazeres de ser um fotógrafo de moda era fazer as pessoas aparentarem ser melhores do que elas jamais poderiam imaginar. É empolgante perceber que você pode parecer e se sentir mais seguro e mais deslumbrante do que jamais ousou ser – enquanto o tempo todo, em seu interior, você ainda se mantém fiel à sua verdadeira natureza. Este livro não é sobre você ser falso ou agir como alguém que você não é; ele é sobre a criação de uma favorável ligação entre sua natureza interior e suas crenças e valores, e o mundo exterior onde vai trabalhar.

Este livro é como uma das minhas fotos de moda. Vai mudar para sempre a forma como você se vê. *Como convencer alguém em 90 segundos* vai dar a você uma boa noção competitiva, mostrando como tirar total vantagem do seu corpo, da sua mente, da sua voz e, acima de tudo, da sua imaginação, para maximizar o potencial de todos os relacionamentos – sejam relacionamentos de negócios, pessoais ou sociais.

Parte I
O básico

Como espécie, somos instintivamente motivados a nos unir e conquistar pessoas para sobreviver, evoluir e fazer negócios. Conectar-se e convencer são as forças elementares da natureza humana que permitem que isso aconteça.

A habilidade de se conectar e transmitir suas ideias de maneira convincente pode ser agrupada em alguns insights básicos, tão simples que você pode consegui-los enquanto está no banco de trás de um táxi na chuva...

1

As regras de Muldoon: não existe fracasso, apenas feedback

Meu primeiro emprego foi como assistente pessoal de Francis Xavier Muldoon. Ele era o gerente de publicidade da *Woman*, a revista de maior circulação semanal no Reino Unido. Era meados dos anos 1960, na Inglaterra, e meu novo chefe tinha surgido do nada direto para o topo de um mercado incrivelmente competitivo em apenas três anos. Francis Xavier Muldoon era o que você poderia considerar uma pessoa dotada de habilidades sociais.

O que fez o dom de Muldoon funcionar foi *O evangelho segundo Muldoon*.

O evangelho segundo Muldoon começa da seguinte forma: "As primeiras impressões ditam o tom para o sucesso mais do que classe social, credenciais, educação ou quanto você pagou pelo almoço". Na verdade, nós normalmente decidimos como vamos reagir a alguém que acabamos de conhecer nos primeiros dois segundos do encontro. Mas fique muito convencido, pois nesse mesmo instante, aquela pessoa também está decidindo como reagir a você. (Se, por um acaso, você está se perguntando sobre os outros 88 segundos, eles servem para confirmar e cimentar o relacionamento e determinar como a comunicação será feita desse ponto em diante.)

As observações de Muldoon sempre foram alarmantemente simples: "Quando as pessoas gostam de você, elas veem o melhor em você. Quando não, tendem a ver o pior. É senso comum, na verdade. Se um cliente gosta de você, ele provavelmente vai entender os seus pulos como entusiasmo, mas se não gosta, ele vai pensar que os seus pulos provam que você é um idiota".

Ele estava certo. Um entrevistador que gosta de você pode interpretar a sua natureza gentil como atenção e ponderação, enquanto aquele que não gosta lhe rotulará como fraco. Um gerente que gosta de você achará a sua autoconfiança um sinal de coragem; um que não gosta irá considerá-lo arrogante. O gênio de um é o idiota do outro. Tudo depende de como você é retratado na imaginação da outra pessoa. Também fazia parte do evangelho de Muldoon: "Capture a imaginação e você vai capturar o coração. Tudo na vida é comportamento. Imaginação desperta emoção, emoção desperta atitude e atitude molda comportamentos".

Eu nunca conheci alguém como Francis Xavier Muldoon. Eu havia me mudado do norte da Inglaterra para Londres porque queria estar em um meio com mais entusiasmo – mesmo que nunca tivesse parado para pensar o que isso significava até chegar lá. Logo percebi que as pessoas que faziam as coisas acontecerem me chamavam a atenção. O único problema com Muldoon, entretanto, era que por um bom tempo eu não sabia se ele era um gênio ou um lunático.

Muldoon era um gênio, mas eu levei um tempo para entender o que o fazia tão eficaz. Na verdade, algumas das coisas que eu tinha de fazer para ele não faziam sentido algum – a princípio. Minha primeira tarefa realmente maluca para Muldoon foi lamber, grudar e rabiscar 2.467 envelopes sortidos e encher um enorme saco com eles. Na tarde seguinte, eu acompanhei o mestre em uma chamada de vendas no escritório do diretor de uma companhia fornecedora de materiais para correspondências na Rua Oxford. Muldoon estava incrível: elegante, confiante e feliz. Já eu, com o meu saco, parecia mais com um ladrão de tumba voltando do crime, depois de ter coletado um corpo.

Nós fomos levados até a sala do diretor. Francis Xavier Muldoon cumprimentou o cliente em potencial como se fossem velhos amigos – quase como se fossem irmãos. Ele me apresentou como seu assistente e nosso anfitrião sinalizou para sentarmos.

Colocamos nossas cadeiras na frente da enorme mesa antiga de banqueiro do diretor. Praticamente de imediato, Francis sorriu e disse: "Com a sua permissão, eu tenho algo para você".

"Por favor, prossiga", disse o diretor, sinalizando com a cabeça uma vaga aprovação.

"O Nick irá lhe mostrar", disse Muldoon. Era a minha deixa. Sem perder o ritmo e armado com respeitosa expressão facial, eu estendi uma enorme tela verde no chão e despejei todo o conteúdo do saco no meio dela. Havia tantos envelopes que eles avançaram para o chão, empurrando as cadeiras.

Enquanto o diretor, boquiaberto, apenas encarava a enorme pilha de correspondências, Muldoon, com sua voz gentil, porém precisa, proclamou: "Esse é o tipo de correspondência que você pode esperar anunciando na revista *Woman*". Ele fez uma pausa longa o suficiente para ganhar a atenção do diretor; então, olhando diretamente nos olhos dele, Muldoon disse: "Duas mil quatrocentas e sessenta e sete respostas apareceram em apenas um dia na mesa de um dos seus concorrentes como resultado direto de terem anunciado com a gente. Nós podemos fazer o mesmo por você".

Tempo gasto até agora? Mais ou menos noventa segundos.

No táxi de volta para o escritório, com um contrato de propaganda de 26 semanas na sua maleta e todos os 2.467 envelopes novamente dentro no saco, Muldoon decidiu que era hora de eu aprender um pouco mais sobre *O evangelho segundo Muldoon.*

– Então o que acha que acabou de acontecer? – ele perguntou.

– Você nunca tinha encontrado com aquele homem antes? – perguntei.

– Não. Não tinha.

– Mas vocês eram como velhos amigos.

– Certamente pareceu assim, não é? – Muldoon sorriu e virou-se para mim. – Você tem alguma ideia do por quê?

– Ele provavelmente já ouviu falar de você.

– Não conte com isso. Vamos fazer assim, sente-se olhando para mim e eu lhe explicarei o que aconteceu.

Os táxis em Londres parecem uma grande lata preta de biscoito sobre rodas, mas são espaçosos e bem confortáveis. Atrás existe um banco virado para a frente e mais dois bancos retráteis virados para trás. Eu puxei o banco em frente a ele e me sentei. Eu sou bem alto, então me sentei com os cotovelos apoiados nos meus joelhos e minha mão direita segurava o meu pulso esquerdo. Tenho certeza de que a minha cara mostrava o quão perplexo e curioso eu estava.

Muldoon estava olhando pela janela, para a garoa que caía e para as pessoas que saíam da estação de metrô em Marble Arch. Ele se virou para mim e arrumou o modo como estava sentado, então sorriu entusiasmadamente e me olhou direto nos olhos. Ele levantou um dedo: "A Regra Número Um: *Quando conhecer alguém, olhe nos olhos dele e sorria*". Ele acenou com a cabeça uma vez e esperou que eu demonstrasse entendimento. Eu acenei de volta. Em seguida levantou o segundo dedo: "A Regra Número Dois: *Quando você quiser que eles sintam que já o conhecem, seja um camaleão*". Eu franzi a testa. Então ele abriu a mão num sinal claro que indicava que eu deveria esperar, e depois levantou três dedos: "A Regra Número

A MANEIRA MAIS BARATA E EFICIENTE DE SE CONECTAR COM OS OUTROS É OLHAR DIRETAMENTE NOS OLHOS.

Três: *Capture a imaginação e você vai capturar o coração*".

Eu me recostei no banco. Não sabia dizer se ele havia terminado. Ele se recostou também.

– Quantas vezes ao dia você lida com pessoas que não reconhecem a sua presença, que nem sequer olham para você?

– Dezenas, eu imagino – respondi.

– Dezenas de oportunidades desperdiçadas. A maneira mais barata, fácil e eficiente para maximizar a conexão entre você e a outra pessoa, sejam seus clientes ou colegas, seja a recepcionista ou o motorista de táxi, é olhar diretamente nos olhos deles e sorrir. Você sabe por quê?

– Porque quer dizer que você é honesto e está interessado neles. – Logo que terminei a minha frase, tinha a sensação de que ela não era suficiente.

– Sim, bom, muito bom. Mas tem algo além disso. O quão a sério você levaria o seu apresentador favorito de telejornal se ele transmitisse as notícias cabisbaixo, lendo papéis impressos e olhando pela janela?

– Eu não acho que o levaria a sério – aquilo me pareceu bem óbvio.

– E a mensagem que ele está passando?

– Eu provavelmente perderia o interesse a menos que estivesse me forçando a prestar atenção.

– A sua mensagem vai para onde a sua voz vai e a sua voz vai para onde os seus olhos a direcionam. Como se sente quando conhece alguém que não faz contato visual com você? E como você se sente quando alguém *faz* contato? Como você se sente quando está conversando com alguém que olha para alguma outra coisa enquanto fala com você?

Contato visual é um dos canais não verbais mais importantes da comunicação. Todos nós já escutamos que "os olhos são as janelas da alma", mas também são a janela para a venda. Isso porque o contato visual manda um sinal inconsciente de que a confiança está no ar. Os olhos também respondem perguntas críticas quando estamos tentando nos conectar: ele está prestando atenção no que estou dizendo? Será que essa pessoa me acha atraente? Será que ele gosta de mim? Em um ambiente social e situações de trabalho, mudanças súbitas no contato visual falam por si só. Por exemplo, quando os olhos de alguém se estreitam, enquanto a pessoa abaixa a cabeça inclinando-a levemente para o lado e ainda mantendo o contato visual, ela pode estar sinalizando um convite para discutir algo bem privado, até íntimo. Os olhos podem mostrar um sinal de superioridade (quando a cabeça está erguida) ou hostilidade (quando o olhar está firme e no mesmo nível). Inversamente, desviar o olhar pode implicar em fraqueza e não aceitação. Então, quando estiver discutindo algo importante, tome cuidado com o que os seus olhos estão dizendo.

EXERCÍCIO

Cor dos olhos

Por um dia, repare na cor dos olhos de todas as pessoas que encontrar. Você não precisa lembrar a cor, apenas repare. É isso. Não poderia ser mais simples. Esse exercício irá desenvolver drasticamente a sua autoconfiança, contato visual e simpatia, sem que você precise fazer algo intimidador demais.

Uma divertida variação desse exercício é dizer aos seus funcionários que você está fazendo uma pesquisa para descobrir se estaria atendendo mais clientes de olhos claros ou olhos escuros e veja-os entrarem de cabeça nisso. Isso funciona muito bem em restaurantes, bancos e hotéis, e ajuda a desenvolver simpatia nos seus clientes.

Existe uma versão para crianças que envolve um pequeno suborno – quero dizer, recompensa. Diga aos seus filhos que você dará dois reais ou uma hora extra na piscina ou uma viagem a Paris ou qualquer outra coisa, se no dia seguinte eles disserem a cor dos olhos de todos os professores deles.

Muldoon olhou diretamente para mim e disse, de maneira calma e gentil:

– Os olhos irradiam autoridade e dão direção, foco e significado à sua mensagem – ele me encarou. Eu desviei o olhar. – Entendeu? – perguntou-me.

– Sim – eu disse, sinalizando vigorosamente com cabeça.

– Então sorria – ele disse. Eu fingi um sorriso, e ele perguntou: – O que é isso?

– Eu não consigo forçar se alguém exige – respondi.

– É uma questão de vaidade? Está com medo de parecer bobo?

– Um idiota, na verdade – eu disse.

– Então acho melhor você aprender. Os olhos não são o único sinal social que temos a oferecer. A melhor maneira de se encarar algo é sorrindo. Sorria e o mundo irá sorrir com você. Sorria e você estará dizendo "Eu estou disponível", "Eu estou feliz" e "Eu estou confiante". Você não pode deixar a vaidade entrar no caminho do seu sucesso.

Eu o conhecia por apenas três dias, mas nesses três dias pude ver Francis Xavier Muldoon mexer com a equipe de vendas, falar sobre planejamento estratégico com o editorial e fazer uma venda em apenas noventa segundos. Mas depois dessa conversa no táxi, parecia que eu o conhecia por toda a minha vida. A razão: a Regra Número Dois.

– Como você se sente? – ele perguntou.

– Bem – respondi, e ele levantou levemente a sua sobrancelha. – Não, na verdade me sinto ótimo.

– Eu sei – ele disse e continuou: – Você sabe como eu sei disso?

– Eu estou sorrindo, acenando com a cabeça e aprendendo coisas ótimas. É óbvio.

EXERCÍCIO

Como sorrir

A melhor maneira de você encarar as coisas é com um sorriso. Um sorriso sinaliza disponibilidade, felicidade e confiança. Modelos profissionais têm truques que os ajudam a entrar no clima e sorrir. Aqui vai o meu favorito. Coloque o seu rosto a 25 cm de um espelho. Olhe para você mesmo diretamente nos olhos e diga a palavra "ótimo" dos mais diferentes jeitos que conseguir: nervoso, alto, baixo, sexy, como Jerry Lewis... continue. Eventualmente você irá rir. Repita o exercício por três dias seguidos.

A próxima vez que encontrar alguém diga "ótimo" bem baixinho três vezes e você estará sorrindo.

– Sim, mas há algo, além disso. Veja como você está sentado.

Eu olhei para baixo. Estava encostado com meu ombro direito na lateral do táxi, meus braços cruzados e o meu queixo quase tocando a minha clavícula.

– Agora, veja como eu estou sentado.

Eu não havia notado isso antes, mas quando ele chamou a minha atenção, percebi que ele estava sentado exatamente da mesma maneira que eu; eu podia estar olhando para um espelho.

– Você sabe o que as pessoas fazem quando se identificam em uma visão terapêutica e comportamental? – eu decidi que era melhor apenas balançar a cabeça e dizer não. Ele fez o mesmo: apenas balançou a cabeça como se falasse não. – Elas se tornam iguais. Elas começam a sentar da mesma maneira, falam no mesmo tom de voz. Hoje, na empresa de entregas, quando o cliente inclinou a cabeça um pouco, a minha também inclinou. Quando ele se demonstrou tenso, eu me mostrei tenso. Quando ele relaxou, eu relaxei. Mudei o meu comportamento, atitudes e expressões para estarem de acordo com as demandas da ocasião, tudo para me adaptar à situação.

– Como um camaleão?

– E agora estou fazendo o mesmo com você, e não notou conscientemente. Mesmo assim, isso fez você se sentir confortável e relaxado.

– É por isso que parecia que vocês já se conheciam – disse. Eu estava começando a entender.

Muldoon estava certo. Nós instintivamente sabemos como nos adaptar. Nós sabemos ser camaleões porque fazemos isso toda a nossa vida. Nós aprendemos pela cópia. Se eu sorrio para você, é da natureza humana sorrir de volta. Da mesma maneira que, se eu disser "Bom dia", existe uma grande chance de você responder da mesma maneira. Isso é uma função da nossa predisposição natural de sincronizar e retribuir o comportamento. Tal atitude é chamada de sincronia límbica e é automática no cérebro humano.

Conforme nós crescemos e nos desenvolvemos, nosso comportamento é influenciado por aqueles próximos de nós. Aprendemos o nosso charme copiando as maneiras daqueles com os quais comemos e socializamos. Ritmos são sincronizados, comportamentos são sincronizados e até o conhecimento é sincronizado. Quando vemos alguém copiando algo que fazemos, pode ser lisonjeiro. Quando escutamos alguém dizendo algo que falamos, ficamos felizes, pois sabemos que esse alguém aprendeu o que queríamos transmitir. Nós gostamos de pessoas que se parecem conosco. Elas aprenderam as mesmas coisas que nós, isso nos faz sentir confortáveis e familiarizados.

Nós nos sincronizamos – respondendo a feedbacks de modo emocional e físico – desde o nascimento. O ritmo do corpo de um bebê é sincronizado com o de sua mãe, o humor de uma criança é influenciado por seus colegas, um adolescente alinha os seus gostos com os de seus conhecidos, as preferências e opiniões de um adulto se tornam notavelmente definidas por seus amigos. Nós gostamos de nos sentir confortáveis com as pessoas que *são* como nós. Quando alguém diz "Eu gosto de você", há chances de estar realmente dizendo "Eu sou como você".

> NÓS ESTAMOS NOS SINCRONIZANDO INCONSCIENTEMENTE COM OS OUTROS DESDE O NASCIMENTO. AGORA É A HORA DE COMEÇARMOS A FAZER ISSO CONSCIENTEMENTE.

A sincronização nos faz sentir que somos peças do mesmo molde, parte do mesmo grupo. Se alguém está fazendo a mesma coisa que nós – agindo, se vestindo ou falando como a gente –, nossas mentes dizem que eles *são* parecidos conosco. Qual o significado disso? Você não grita em uma igreja ou sussurra no estádio de futebol. É simples: somos mais bem-sucedidos quando nos adaptamos à situação.

Muldoon me disse que, quando adaptamos conscientemente os nossos comportamentos, atitudes e expressões com as pessoas que conhecemos, elas se sentem confortáveis. Parecemos familiar para elas e aí elas gostam da gente.

Hoje, quem se destaca são aquelas pessoas que conhecem e entendem as outras dentro da sua empresa ou área de negócio. Elas criam diversas redes de conexão no trabalho, pois se conectam com tantas pessoas que acabam se tornando indispensáveis. Essas são as pessoas que são promovidas, não necessariamente por estarem fazendo um bom trabalho, mas porque são amplamente reconhecidas, assim como as suas contribuições são reconhecidas. Elas são camaleões.

Era hora do rush. Nosso táxi estava completamente parado e parecia que iria demorar no mínimo mais meia hora para chegarmos ao escritório. Já estava escurecendo.

– Está com fome? – Muldoon perguntou.

– Não, nem um pouco.

Eu não estava interessado em comida naquele momento porque queria escutar mais. Eu esperava para escutar mais sobre a Regra Número Três. Muldoon se virou subitamente e apontou pela janela traseira do táxi.

– Consegue ver aquele grande poste antigo na esquina daquele prédio de tijolos?

Eu tive de me abaixar um pouco, mas vi.

– O que tem ele? – perguntei.

– Eu estava lá ontem à noite. É o Bentleys; o local favorito de jornalistas e publicitários após o trabalho. Jantei com alguns amigos. A comida lá é maravilhosa. Para começar, pedi suflê de espinafre, regado no centro com um molho de anchovas. Veio acompanhado de grandes pedaços de pão caseiro quentinho. O pão era crocante e o suflê derretia na boca. Como prato principal, comi um filé apimentado com purê de batatas cremoso e ervilhas. Para finalizar, pedi um crepe *suzette* com um ótimo conhaque envelhecido.

Quem disse que eu não estava com fome? Dois minutos atrás eu não estava, mas naquele momento estava faminto! Queria tanto o filé com purê que eu praticamente babava. Quanto mais eu pensava sobre ele, mais queria comer. Conseguia ver, ouvir, sentir, saborear e cheirar o filé.

– Eu acho que você acabou de me convencer. Estou com fome!

– Não, eu só joguei com a sua imaginação para ativar as suas emoções, ou, nesse caso, seu apetite – sorriu.

Foi então que uma lâmpada acendeu na minha cabeça:

– Da mesma maneira que a imaginação do seu cliente é ativada! Quando jogamos aquela pilha enorme de envelopes no chão, ele pôde imaginar o sucesso do seu anúncio se tornando realidade.

Muldoon apenas acenou com a cabeça, então se inclinou e colocou a maleta sobre o seu colo. Eu achei que ele iria me mostrar alguma coisa, mas ele tirou apenas uma pasta fina e começou a estudar o que havia dentro.

Estar dentro do táxi, sentado ao contrário no assento retrátil, não estava ajudando o meu estômago que roncava, e de qualquer forma eu tinha mais de 1,80 metro e o assento retrátil não era feito para pessoas altas. Depois de um minuto mais ou menos eu voltei ao meu assento original ao lado dele. Ele estava completamente introvertido, então escorreguei no banco, estiquei as minhas pernas e olhei pela janela.

Eu olhei para Muldoon e pensei "Como será que é o resto da vida dele? Aqui está um homem que deve ter o dobro da minha idade – eu tinha quase 21 – que provavelmente consegue fazer qualquer coisa. Ele é confiante, calmo e charmoso. Tudo que ele diz parece tão óbvio. Como eu não pensei nisso antes?". É óbvio que você se sente validado e conectado quando pessoas olham nos seus olhos. É óbvio que você se sente confortável, conectado e respeitado quando pessoas são como você. E sem sombra de dúvida, a imaginação é a chave para as emoções. Afinal a imaginação é onde a maioria de nós vive – quando não estamos imaginando o futuro, estamos fantasiando sobre o passado.

O vidro que nos separava do motorista se abriu.

– Desculpe-me, cavalheiros. Parece que houve um engavetamento ou algo do gênero logo à frente. Não deve demorar muito mais, apesar de tudo.

– Obrigado pela notícia – disse sarcasticamente.

– Não é minha culpa, senhor – o motorista disse, fechando bruscamente o vidro. O motorista estava certo. Não era culpa dele. Meu estômago estava me deixando mal-humorado.

– Está tudo bem. Obrigado por nos informar – Muldoon disse alto e me direcionou uma expressão desagradável.

– Ótima primeira impressão. O que você quer do homem: confronto ou colaboração? – Estava claro que Muldoon tinha ainda mais alguma lição para me ensinar naquela noite. – O que você acha que vai fazer com que cheguemos mais rápido: tratar o motorista com respeito ou ameaçar bater nele?

– Está tudo bem – disse ele, rindo da vergonha estampada em meu rosto.

– Cedo ou tarde, toda pessoa de sucesso percebe que, para conseguir o que quer das pessoas, ela tem de *querer* ajudá-las. Só existem seis maneiras de conseguir as coisas das pessoas: pela lei, por dinheiro, por força emocional ou força física, por sedução ou persuasão. De todas essas, a persuasão é a mais eficiente – é o próximo nível no jogo. Trabalhe com isso. A persuasão é mais poderosa, frequentemente mais rápida, usualmente mais barata e os resultados são mais positivos do que qualquer pressão legal, recompensa financeira, coação emocional, força física ou beleza. O problema é que, se você estraga a sua primeira impressão, como acabou de fazer, você tira a persuasão do jogo. Você acabará recorrendo a um desses outros métodos para tomar o controle da situação. O taxista não gosta mais de você e ele vai te colocar junto com todos os outros idiotas que falam com os motoristas desse jeito.

Winston Churchill chamou de persuasão "a pior forma de controle social com exceção de todas as outras". Aristóteles postulava que, para a persuasão ser realmente eficiente, era necessária a presença de três elementos básicos: confiança, lógica e emoção. Em termos modernos isso quer dizer que você precisa ser convincente, você precisa causar uma boa primeira impressão estabelecendo confiança por meio de atitudes (linguagem corporal, tom de voz) e da imagem pessoal; você tem de apresentar o seu caso com uma lógica incontestável; e tem de agregar emoções para completar o processo. Não importa se você está vendendo um espaço para propaganda, recomendando aquela garrafa de Pinot Noir em vez do Burgundy ou passando o endereço de onde será o discurso do presidente. Você deve fazer os seus ouvintes confiarem em você, o que você fala tem de fazer sentido e tem de tocar todos de alguma forma. Para ser convincente, você precisa se comunicar com todos – e rapidamente.

Mas o que nós queremos dizer exatamente com comunicação? Se eu quero que um dos meus fornecedores faça alguma coisa para mim em uma determinada data e ele não quer fazer, então a minha comunicação foi falha. Eu sou 100% responsável se minha comunicação falhar ou ser bem-sucedida? Sim. No mundo dos negócios e na vida, a efetividade da comunicação está nas respostas obtidas. Então o que faço se o meu fornecedor não entrega o carregamento? Eu poderia perguntar o que aconteceu e ele poderia prometer que não vai acontecer novamente. Mas e se acontecer de novo? Eu poderia perguntar mais vezes, levantar a voz e me irritar ou discutir. Ou então poderia mudar minha atitude, fazer algo diferente – até mudar de fornecedor. Se então eu não obtive o resultado desejado, poderia mudar a minha conduta mais uma vez até que conseguisse o resultado desejado. Futilidade é fazer a mesma coisa repetidas vezes e esperar resultados diferentes.

Aqui vai um fato da vida: todo comportamento é um vai e vem de feedback. Você quer algo, você busca isso. Se você falha, pode tentar a mesma coisa de novo; ou então pode perceber o que a primeira tentativa ensinou a você (feedback), redesenhar a sua estratégia e só então tentar de novo. Receba mais feedback da sua segunda tentativa e continue mudando e aprimorando a sua tática, até conseguir o desejado. Tente e aprimore, tente e aprimore. Não há fracasso, somente feedback. A fórmula então se torna: saiba o que você quer (em termos *positivos*, como "Eu quero colaboração", e não "Eu não quero uma discussão sem sentido"), veja o resultado e mude o que você estava fazendo até que consiga o resultado desejado.

> DEFINIR O QUE VOCÊ QUER É O PRINCIPAL PASSO EM QUASE TODAS AS SITUAÇÕES.

– Você vê aquela placa ali? – Muldoon disse, apontando uma janela em um restaurante do Kentucky Fried Chicken. – Olhe dentro dele, está lotado. Eles têm lojas pelo mundo inteiro e são bem-sucedidos porque convenceram as pessoas a irem comer lá. Eles são uma marca global, pois proporcionam uma comida previsivelmente conveniente e a um preço justo; e eles mantêm essa promessa. A essência de qualquer marca de sucesso é cumprir a promessa feita ao cliente.

– Uma vez que prendem alguém pela imaginação, eles o conquistaram?

– Exatamente. Sendo convincente, mas não por coerção ou intimidação. Eles nunca forçaram ninguém a comer lá. Coerção é fazer com que as pessoas façam o que você quer que elas façam; convencer é fazer com que as pessoas *queiram* fazer aquilo que você quer que elas façam. É dessa forma que você toca os sonhos das pessoas e associa a realização desses sonhos a seu produto, serviço ou causa. É como você faz com que eles vejam, escutem, sintam e queiram.

Muldoon estava empolgado. Isso era ótimo, mas a minha fome estava de volta. Ele fez uma pausa e olhou ao redor por um momento.

– Você vê aquele restaurante ali atrás? – nós quase não havíamos nos movido nos últimos quatro minutos.

– Sim?

– Olhe para ele. Vai ajudá-lo a lembrar-se desses três aspectos de uma comunicação efetiva. KFC* – *saiba* o que você quer, *observe* o resultado obtido e *mude* o que faz até conseguir o que deseja.

Eu sabia exatamente o que eu queria agora – comida – e encarar um restaurante KFC não estava ajudando. Por que ele estava fazendo isso comigo?

– Ok, estou olhando, mas eu não vejo como isso vai me ajudar.

Mas de repente eu percebi: Muldoon estava me testando. Ele me deixou com fome de propósito atiçando a minha imaginação. Depois, me mostrou um restaurante que era limpo e conveniente. Em seguida, me disse para saber o que eu queria, entender os resultados e mudar o que eu estava fazendo até conseguir o desejado. E agora ele esperava para ver o que eu iria fazer a respeito.

– Sr. Muldoon.

– Frank.

– Frank, estou faminto.

Ele sorriu.

– Eu sei. Então o que você vai fazer a respeito?

Eu me virei e olhei pelo vidro – nós estávamos empacados bem no meio do congestionamento da hora do rush. Nós não iríamos

---

* KFC é a sigla para o restaurante Kentucky Fried Chicken. Em inglês, essa sigla também quer dizer *Know what you want, Find out what you're getting, Change what you do.* (N.T.)

chegar ao escritório antes do fim do expediente. Quando eu me voltei para Muldoon, ele puxou a maçaneta da porta e a abriu com o cotovelo.

– Vejo você amanhã – disse sem se mover.

Esse era o momento da verdade, pelo menos a lógica e a emoção estavam do meu lado. Eu sorri com o meu maior e mais bobo sorriso, peguei a minha sacola de envelopes e passei por ele até o mundo real. Antes de fechar a porta, ele acenou de perto para mim com um brilho malicioso nos olhos. Eu me inclinei para a frente e a chuva corria pelo meu pescoço, mas me mantive sorrindo.

– Hoje eu ensinei uma técnica a você. Na próxima vez vou ensinar a essência. Você foi muito bem.

O congestionamento acabou e o táxi foi embora. Naquele momento, um único pensamento passou pela minha cabeça: eu trocaria o filé e o purê por um guarda-chuva e uma capa. Meu jantar naquele dia foi frango frito, aos montes.

Muitos anos depois eu tive motivos para relembrar aquele momento sob a chuva quente e as luzes de Londres. Eu estava faminto, mas ao mesmo tempo cheio de entusiasmo sobre *O evangelho segundo Muldoon*. Foi em uma manhã quando eu li no *The Wall Street Journal* que o Kentucky Fried Chicken tinha mudado o nome para KFC.

K: *Know what you want* (Saiba o que você quer)

F: *Find out what you're getting* (Observe o resultado obtido)

C: *Change what you do until you get what you want* (Mude até que obtenha o resultado desejado)

Você sabe o que quer? No filme *Wall Street*, o personagem de Charlie Sheen, Bud Fox, já estava farto da sua situação de corretor da bolsa que era pressionado constantemente. Então, ele percebe o que realmente quer: poder, riqueza e diversão. Ele imagina que, se conseguir ganhar a conta do implacável financista Gordon Gekko, sua vida será perfeita. Então, marca uma reunião somente para ser negada pela secretária de Gekko. Em vez de tentar de novo, com mais vontade e mais agressivamente, ele muda o que está fazendo e se foca, por um tempo, em conquistar a secretária com presentes e conversa fiada. Quando isso não funciona, ele muda novamente o que está fazendo, dessa vez estudando Gekko com tanto detalhe que quase poderia ler a mente dele em um local público, e lhe faz uma oferta que o financista não consegue resistir. Valeu a pena. Ele acaba indo trabalhar para Gekko, conseguindo o que desejava. Nesse caso, entretanto, ele consegue muito mais do que realmente queria. Ainda assim, KFC funcionou para ele.

Não importa se você é dentista, cantor de heavy metal, corretor do maior fabricante de colchões de pena do mundo, estudante de MBA em Administração ou arrecadador de fundos para uma pequena igreja/escola de uma comunidade: se não colocar o KFC em prática os resultados serão sempre os mesmos. E aqueles que entenderem o princípio do KFC passarão facilmente na sua frente.

> SE VOCÊ NÃO COLOCAR O KFC EM PRÁTICA, OS RESULTADOS SERÃO SEMPRE OS MESMOS.

Os diretores de uma pequena escola de ensino fundamental de Ontário queriam sair do porão que uma igreja lhes emprestava para um imóvel próprio. Eles já haviam feito algumas arrecadações, mas não haviam recolhido muito dinheiro, e dependiam principalmente da família dos estudantes e ex-alunos. Em seguida, tentaram um leilão silencioso, vendendo serviços e produtos oferecidos por empresas locais; mesmo assim ainda não arrecadaram o suficiente. Então eles decidiram mudar o que estavam fazendo e tentar algo completamente diferente. A comissão que arrecadava fundos contratou a ajuda de alguns profissionais locais – empresários, uma agência de relações públicas, um golfista e alguns comerciantes – para analisarem as suas opções. Na reunião, eles decidiram a quantia que queriam arrecadar e quanto seria sensato esperar. Delimitaram que o objetivo era US$ 25 000 no primeiro ano e pelo menos US$ 3000 por ano pelos próximos dez anos.

EXERCÍCIO

Você sabe o que quer?

Aqui está algo que você pode tentar no trabalho.

Perceba três pequenas coisas que você não gosta ou não quer que aconteça no ambiente de trabalho. Por exemplo: *Eu não quero ouvir outras pessoas ao telefone porque me distrai. Eu não consigo suportar quando não chego a um consenso nas reuniões de marketing. Eu não gosto quando os clientes são impacientes.* Agora, pegue seu problema – a negativa – e pense nele como um desejo positivo: *Eu quero um lugar quieto para trabalhar onde possa me concentrar. Eu quero aprender mais sobre o que motiva meus colegas. Eu quero inspirar calma em outras pessoas.*

Uma vez que você sabe o que quer, seja criativo e flexível e tente possíveis soluções. Se ouvir outras pessoas ao telefone é uma distração, compre um fone de ouvido. Se isso não funcionar, identifique quem o distrai mais e tente negociar um reposicionamento. Se isso não funcionar, diga ao seu chefe que você será mais produtivo em um ambiente silencioso e veja o que ele pode fazer. Pegue todo o feedback que você conseguir e, com base nisso, mude o que faz até conseguir o que deseja.

EXERCÍCIO

Como você saberá quando conseguiu?

Feche os olhos e crie uma "memória futura". Escolha um momento específico no tempo. Como ele vai parecer, como será o som, como será o sabor, o cheiro e o gosto dele? Você vai aprender mais adiante neste livro que a linguagem primitiva do cérebro vem dos sentidos – imagens, sons e sentimentos. A capacidade infinita de organização do subconsciente pode lhe servir melhor quando pode ver, ouvir e sentir o que você quer, em vez de ser programada com objetivos verbais e abstratos. Afinal, o que funcionaria melhor: dizer "Eu quero felicidade" ou "Eu vou ser mais feliz e mais produtivo quando o meu ambiente de trabalho for mais silencioso"? A segunda opção, é claro. É muito mais fácil e eficaz mostrar ao seu subconsciente o que exatamente você quer dizer quando mostra como será, como vai soar e como vai se sentir ao conquistar o seu objetivo.

O que resultou dessa reunião foi o primeiro torneio anual de golfe da escola. Eles queriam que o evento não só arrecadasse dinheiro mas também causasse impacto suficiente que mais pessoas se tornassem cientes da existência da escola. Eles o chamaram de Torneio de Golfe *Whole-in-one**, o que ressaltava a missão da escola – educar a criança como um todo – e do torneio. Eles sabiam que não iriam ter sucesso se esse fosse apenas outro torneio de golfe, então, descobriram como fazer com que ele parecesse único e profissional, em vez de ser apenas mais um evento escolar. Eles convenceram o capitão dos bombeiros e o chefe de polícia a participar. Mas esses dois cavalheiros diferenciados não eram o suficiente para gerar um grande interesse, então convenceram algumas celebridades locais, incluindo um famoso músico de rock que vivia na redondeza. Quando doze comércios locais ofereceram prêmios valendo no mínimo cem mil dólares para qualquer um que acertasse um buraco em apenas uma tacada, a comissão sabia que tinha conseguido.

A partir daquele dia, o grupo começou a arrecadar fundos, e sabia claramente o que queria. Conforme os anos se passaram, as pessoas do grupo perceberam o que estavam recebendo em troca; e mudaram o que estavam fazendo até conseguirem o resultado desejado. Pelo fato de terem aderido ao modelo do KFC, o torneio superou os objetivos logo no primeiro ano. Os diretores receberam feedback do evento e já estão pensando em um "segundo evento anual".

---

* *Hole-in-one* é a jogada em que o golfista acerta a bola no buraco com apenas uma tacada. Em inglês, há uma brincadeira com as palavras (nome da jogada e nome do torneio): *whole* quer dizer "todo". (N.T.)

O EVANGELHO SEGUNDO MULDOON

A primeira impressão determina o tom para o sucesso mais do que qualquer outro fator.

- **Olhe as pessoas nos olhos e sorria.** Sua mensagem vai para onde a sua voz vai e a sua voz vai para onde os seus olhos a mandam ir. Contato visual gera confiança. Sorrir faz com que você pareça feliz e confiante. Diga "ótimo" para você mesmo três vezes e entre no clima.
- **Adapte-se: torne-se um camaleão.** Nós nos tornamos confortáveis e relaxados com pessoas que são como nós. Sincronize sua linguagem corporal com os outros para efetuar uma conexão imediata.
- **Capture a imaginação para capturar o coração.** Use uma linguagem sensorial rica e imagens para que os outros consigam ver, sentir e, às vezes, até reconhecer o cheiro e gosto do que você quer dizer.

SEJA CONVINCENTE

Convencer é fazer com que os outros *queiram* fazer o que você quer que eles façam. Para que seja eficaz, três elementos devem estar presentes: uma primeira impressão confiável, uma lógica incontestável e um toque de emoção.

- **Confiança.** Confiança pode estar implícito em seu título ("gerente geral", por exemplo), suas credenciais ou sua reputação. Ela é obtida em um primeiro contato por meio de atitude (linguagem corporal, tom de voz) e da sua imagem pessoal.
- **Lógica.** Sua posição, apresentação ou ponto deve fazer sentido.
- **Emoção.** Seu argumento deve atrair a imaginação e, dessa forma, as emoções.

Demonstre esses três níveis para que a pessoa, grupo ou público sinta: *Eu confio em você, você faz sentido e você me toca.* Confiança deve vir em primeiro lugar.

KFC

O significado da comunicação depende do resultado obtido. Você é 100% responsável por sua comunicação ser falha ou bem-sucedida. A KFC é a fórmula para uma comunicação de sucesso.

- K: ***Know what you want*/Saiba o que você quer.** Defina o que você quer em termos positivos e, de preferência, no tempo presente.
- F: ***Find out what you're getting*/Observe o resultado obtido.** Dê atenção a todo tipo de feedback que você receber e aprenda com ele de forma que consiga determinar o que está te levando em direção ao seu objetivo e que o está lhe distraindo.
- C: ***Change what you do until you get what you want*/Mude até você atingir o resultado desejado.** É inútil fazer a mesma coisa repetidas vezes e esperar diferentes resultados. Se você não conseguir o que deseja, tente novas abordagens, às vezes radicalmente diferentes, até conseguir o que quer.

PARTE 2

As novas regras: em conexão com a natureza humana

Cada vez que você diz "olá" a um estranho, essa pessoa, inconscientemente, decide se foge, combate ou fica. Dezenas de julgamentos instantâneos são feitos em um segundo, em um nível subconsciente. Com certeza você já ouviu pessoas dizerem "eu soube que gostava dela no momento em que a conheci". Mas como tudo isso acontece?

Isso acontece porque é o natural, parte da programação original do ser humano. Uma vez que os filtros de "gostar"/"não gostar" são estabelecidos, todo o restante é influenciado pelos instantes iniciais de cada encontro. Se eu gosto de você, vejo o melhor em você, e não há nada que você possa fazer de errado. Mas se eu não gosto, não há nada que você faça certo.

Nós não podemos impedir as pessoas de fazerem julgamentos instantâneos, mas podemos fazer esses julgamentos funcionarem a nosso favor. Essa seção trata das novas regras. Elas se baseiam no que Muldoon me ensinou, no que cientistas e especialistas me disseram, no que olhos bem abertos admiraram e no que a curiosidade me mostrou ser real. Aqui, você vai aprender como ajustar seus sinais não verbais para fazer com que a outra pessoa se sinta confortável e segura, e que confie em você no momento em que te olha.

2

Neutralize a "reação lutar ou fugir"

Os segundos iniciais de um primeiro encontro entre duas pessoas são conduzidos por reações instintivas. Cada pessoa faz avaliações inconscientes e impensadas centradas em sua segurança: "Eu me sinto seguro com você/Eu não me sinto seguro com você", "Eu confio/não confio em você".

O instinto animal de sobrevivência nos alerta no primeiro contato, em um nível subconsciente, e por uma fração de segundo, enquanto o corpo entra em um nível mais alto de atenção, um escudo mental aparece para protegê-lo. À medida que você vai saindo cuidadosamente detrás desse escudo, vai decidindo o quanto é seguro revelar – e o quão rápido você está preparado para fazer isso. As impressões formadas nesse estágio podem definir o humor e o tom das expectativas, além de ativar a imaginação para fazer julgamentos instantâneos – certos ou errados – sobre a pessoa que você está encontrando.

Mas, acredite, você pode neutralizar a "reação lutar ou fugir" nas outras pessoas e encorajar julgamentos instantâneos favoráveis, estabelecendo, dessa forma, um estado de espírito receptivo e expectativas positivas. Para começar, qual você acha que é a característica número um que as pessoas inconscientemente admiram nas outras? Primeiro, e acima de tudo, a atenção das pessoas é direcionada a indivíduos de aparência saudável e vigorosa, pessoas que estão acrescentando energia ao ambiente, em vez daquelas que estão tirando a energia do lugar. Pessoas procuram quem vai encorajar o crescimento delas, quem vai dar, não tirar.

Se existe algo que sugere saúde e vitalidade é energia positiva, que pode ser projetada na forma como você entra em um ambiente, como ocupa aquele espaço e como dá atenção ao que os outros têm a dizer. Atitude, postura, expressão facial e contato visual influenciam a energia que você irradia, e as pessoas que encontra estão julgando o que você demonstra a cada segundo do seu dia.

A dra. Nalini Ambady, da Universidade de Harvard, fez uma impressionante descoberta durante um estudo de aspectos não verbais de uma boa didática. Depois de gravar centenas de horas em sala de aula, a dra. Ambady mostrou a um grupo de estudantes um vídeo mudo de dois segundos de professores com os quais eles não estavam familiarizados. Depois, ela pediu que dessem uma nota aos professores, baseada em uma lista de atributos educacionais. Um segundo grupo, que havia passado o semestre todo estudando com esses mesmos professores, também avaliou as aulas. Os dois grupos de estudantes chegaram a conclusões quase idênticas sobre os professores, demonstrando, portanto, o poder das primeiras impressões.

A lista a seguir (que não é a usada pela dra. Ambady) expõe alguns sinais não verbais que as pessoas transmitem, permitindo com que outros façam julgamentos instantâneos a respeito delas. Há muitos outros sinais, mas essa lista dá uma ideia de por que o seu aspecto não verbal é tão importante. Se você está lendo esse livro em um restaurante, em um aeroporto ou em qualquer outro espaço público, olhe para os estranhos ao seu redor e dê uma nota para eles em qualquer um dos critérios. Circule o número que acredita melhor descrever a pessoa que está avaliando. Por exemplo, circule 5 se a pessoa parece falante, 2 se a pessoa parece um pouco quieta.

Quieta	1	2	3	4	5	Falante
Fechada	1	2	3	4	5	Aberta
Desinteressante	1	2	3	4	5	Interessante
Não confiável	1	2	3	4	5	Confiável
Apática	1	2	3	4	5	Entusiasmada
Volúvel	1	2	3	4	5	Persistente
Reservada	1	2	3	4	5	Amigável
Cuidadosa	1	2	3	4	5	Aventureira
Não ciumenta	1	2	3	4	5	Ciumenta
Inescrupulosa	1	2	3	4	5	Escrupulosa

Conforme você dá uma nota a esses estranhos, está avaliando ou respondendo às mensagens não verbais que eles estão passando. E você pode errar completamente! Infelizmente, a maior parte de nós, sem se dar conta, passa sinais por meio da linguagem corporal e da imagem pessoal (estilo, vestimenta, modos), que fazem com que as pessoas que encontramos nos julguem mal antes mesmo de abrirmos nossas bocas. Sim, todos julgam os livros pelas capas, restaurantes pelas fotografias no guia e, frequentemente, cidades ou até mesmo culturas inteiras pela primeira pessoa encontrada no aeroporto! Mas você pode aprender como vencer essa corrida.

Pessoas não podem parar de fazer julgamentos instantâneos sobre os outros. É da natureza humana fazê-los. Mas você pode neutralizar a "reação lutar ou fugir" e aumentar suas chances de fazer uma conexão de confiança.

Pouco depois da publicação do meu livro *Faça todo mundo gostar de você em 90 segundos*, um repórter do *Houston Chronicle* decidiu que, em vez de me entrevistar, ele me testaria.

Nós então saímos pelas ruas do centro de Houston – o repórter, um fotógrafo e eu. O plano era o seguinte: o repórter decidiria quem eu iria abordar. Então, ele e o fotógrafo se esconderiam virando a esquina e assistiriam ao que acontecesse.

– Você vê aquele grupo ali? Vá para lá e faça-os gostar de você – o repórter me instruiu.

Eu já tinha começado a explicar para ele que o livro não é sobre abordar de surpresa pessoas em público; ninguém gosta disso.

– No entanto – ele disse – isso seria uma boa história.

Indo diretamente ao desfecho: cinco entregadores estão almoçando. Lá vou eu, vestindo um blazer transpassado, uma camisa branca desabotoada, calça jeans preta e sapatos vermelhos. Em dez minutos já estamos nos divertindo, conversando como conhecidos. Eu chamei o repórter, que estava escondido, e ele se aproximou com o fotógrafo perguntando a todos se haviam gostado de mim ou não. Aqui está o que os entregadores disseram: "Ele parecia um cara legal", "Ele não parecia ameaçador", "Ele falou corretamente e se vestia bem", "Eu me senti confortável com ele".

EXERCÍCIO

Julgamentos instantâneos

Tente isso em um evento, uma feira de negócios ou na fila do mercado, em algum lugar onde você encontra estranhos que pode abordar. Escolha uma pessoa que você ache que tem alguns aspectos negativos da lista na página 43. Então, pergunte a ela onde está o banheiro ou a padaria, e analise a resposta para ver o quão válida foi a sua avaliação. Repita o exercício com alguém que exiba os aspectos positivos da lista e veja se essa pessoa vai corresponder às suas expectativas. Nos dois casos, tente apontar o que viu na outra pessoa que o levou à sua avaliação.

Olhe para alguns dos seus colegas de trabalho e tente avaliá-los como se fosse a primeira vez que você os estivesse vendo. Essa avaliação "eu nunca te vi antes" está de acordo com o que sabe sobre essa pessoa? O que isso te diz sobre a forma como tipicamente avalia as pessoas à primeira vista?

Separe umas fotos suas, velhas e novas, e veja que características você estava e está demonstrando. Determine o que elas dizem sobre a sua personalidade e relacionamentos no momento em que foram tiradas. Isso vai te ajudar a ter uma noção do que você está comunicando por meio da sua aparência e do efeito em como se conecta com os outros.

Nós seguimos caminho e o repórter dificultou o desafio. Uma mulher de negócios, vestida com roupas caras, carregando uma maleta, saía apressada de um edifício em direção ao edifício do outro lado da rua.

– Ela – disse o repórter. – Faça com que ela goste de você.

– Muito obrigado – eu repliquei, enquanto andava acelerado para interceptá-la.

Vinte segundos depois, nós estávamos rindo e ela estava conversando alegremente.

– Ele foi muito caloroso – ela disse ao repórter, posteriormente. – Ele se conectou principalmente ao olhar nos meus olhos. Eu podia sentir que ele estava escutando e respondendo a mim. E ele sorriu.

O repórter decidiu aumentar o nível de dificuldade: escolheu dois policiais de patrulha em bicicleta da polícia de Houston, que estavam sentados na frente de um ponto de ônibus. Resultados semelhantes:

– Ele não parecia alguém em quem eu não pudesse confiar – falou o policial.

– Ele estava bem-vestido e se aproximou de uma maneira educada. Não parecia ameaçador – disse o outro policial.

– Mas vocês gostaram dele? – perguntou o repórter.

– Claro, ele nos pareceu ser um bom rapaz.

Mais ou menos um mês depois que a história foi publicada, eu recebi uma ligação de um colunista conhecido do *The New York Times*, que me disse: "Isso pode funcionar em outros lugares, mas aqui é Nova York".

Ele me colocou em situações desafiadoras, desde precisar fazer contato com uma moça atraente de aparência zangada que estava sozinha na Grand Central Station, com os garçons da Carnegie Deli, (erroneamente) famosos por serem rudes, e até com a mulher que vende lembrancinhas no metrô, entre outras pessoas. Os resultados foram sempre os mesmos: eu me conectei em todas as vezes.

Mas como? O que eu estava fazendo? E por que eu acredito que, simplesmente por conseguir fazer as pessoas se sentirem confortáveis, relaxadas e prontas para baixarem a guarda, saindo detrás dos seus escudos em noventa segundos ou menos, qualquer outra pessoa também pode?

Aqui está o que eu levei em consideração (e você já leu o suficiente a esta altura para fazer o mesmo). Em cada uma dessas situações, primeiro me perguntei "O que eu quero?". Isso é extremamente importante. Eu queria que a pessoa que eu abordasse confiasse em mim. Com isso em mente, a pergunta que me parecia pertinente fazer a um completo estranho em uma situação totalmente sem contexto era: "Quando você encontra alguém pela primeira vez, como sabe se pode confiar nele?". (Quando falo "sem contexto", quero dizer que, se você está em uma estação, pode fazer perguntas sobre trens, ou se está em uma farmácia, sobre remédios para dor de cabeça. Essas são todas questões seguras e sensatas nesses locais. Mas se eu tivesse perguntado isso e sido falso, a pessoa teria percebido e continuaria com seu escudo. Eu queria que a minha pergunta fosse intrigante, não ameaçadora e apropriada à situação.)

Antes de começar, eu me arrumei cuidadosamente para parecer honesto, vibrante e saudável. Mas o meu visual funciona *para mim*. Você deve encontrar a sua própria imagem (mais sobre isso na página 142). O que funciona para mim é:

Autoridade da cintura para cima. Um blazer transpassado, uma camisa branca engomada com o botão do colarinho aberto.

Disponibilidade da cintura para baixo. Calça jeans preta e simples. Elas são menos formais que calças sociais e eu gosto delas. Sapatos de couro vermelho vivo e brilhante – um pouco fora de moda, mostrando que eu não me levo muito a sério.

Aqui vai o que eu fiz (e o que você pode fazer) para causar uma boa primeira impressão:

- Primeiro, como eu já mencionei, eu estava vestindo uma combinação calculada de autoridade e disponibilidade.
- Antes de abordar qualquer pessoa, ajustava a minha atitude. Eu estava curioso e um tanto quanto bem-humorado. Enquanto encarava cada situação, eu me lembrava de um momento no qual me senti curioso e bem-humorado, e aplicava isso ao meu humor (veja página 67 para saber mais sobre esse assunto).
- Em todas as situações, eu repetia para mim mesmo "ótimo, ótimo, ótimo" e isso me fazia sorrir. (Você pode falar alto ou apenas repetir isso na sua cabeça; o importante é abraçar o sentimento. Por si só a palavra é otimista e encorajadora.)
- No minuto em que ia ao encontro das pessoas, eu reparava na cor dos olhos delas.
- Eu virava meu corpo para posicionar o meu coração em direção ao da pessoa (veja mais sobre esse assunto na página 71). Esse movimento demonstra linguagem corporal flexível e coração aberto.
- Eu deixava as pessoas verem que não possuía nada ameaçador em minhas mãos. Você não quer iniciar o mecanismo "lutar ou fugir". Eu carregava uma caneta que aparentava valer muito na minha mão como um aparato. É a melhor coisa depois do jaleco de laboratório, e a aparência cara da caneta me dá um ar de autoridade. O fato de ela estar fechada significava que eu, provavelmente, não iria escrever nada naquele momento (um relatório, por exemplo).
- Eu perguntava questões sutis assim que me aproximava das pessoas. Em todos os casos, disse: "Com licença, posso lhe fazer uma pergunta?". E então eu fazia minha real pergunta: "Quando você encontra alguém pela primeira vez, como sabe

se pode confiar nele?". Era fácil demonstrar interesse na resposta porque, de fato, eu queria saber. (Prepare sua pergunta antes: saiba o que você quer.)
- Finalmente, eu começava imediatamente a sincronizar minha linguagem corporal e meu tom de voz com as características da pessoa (veja mais sobre esse assunto na página 71). Quando eu falava com mais de uma pessoa, como no caso dos entregadores, eu me virava de frente para cada um deles, um por vez, e ajustava minha atitude globalmente para corresponder à deles.

No começo de um novo encontro, você tem de fazer uma série de coisas ao mesmo tempo. Os oito estágios que eu listei provavelmente não levam mais de dez segundos, durante os quais eu estava falando, observando e correspondendo. O que você comunica nos primeiros momentos de um encontro estabelece que você é de confiança, honesto, vibrante e um indivíduo saudável, ou aquele que faz as pessoas se afastarem.

Assim que a matéria saiu no *The New York Times*, o *Good Morning America* decidiu ver se apenas eu conseguia me conectar com as pessoas em noventa segundos ou menos, ou se isso poderia ser aprendido por qualquer um que lesse meu livro. Lara Spencer, uma das âncoras do programa, foi para as ruas de Nova York armada com o livro e tentou ela mesma. Taxa de sucesso: 100%! Então, ela persuadiu um rapaz robusto, no fim dos seus trinta anos, vestido com camiseta e calça jeans, a tentar também. Depois de cinco minutos treinando, ele obteve os mesmos resultados. E você também poderá obtê-los.

Correspondendo às expectativas

No mundo dos negócios, as primeiras impressões são frequentemente influenciadas pelas expectativas. Nós esperamos que pessoas estejam de acordo com a imagem que criamos nas nossas cabeças pelo que falaram ou como falaram, em uma mídia não visual – telefone, carta ou e-mail. Uma vez que as vemos, nós esperamos que elas tenham essa imagem. Quando não correspondem às nossas expectativas, temos uma tendência a ficar desapontados, e esse desapontamento pode fazer com que não vejamos o melhor dessas pessoas. No entanto, quando correspondem ou excedem as nossas expectativas, nós estamos preparados a nos dedicar mais, ouvir com mais atenção e ser mais otimistas.

Nós não conseguimos impedir os outros de fazer julgamentos instantâneos – eles fazem parte da natureza inata do ser humano, a reação "lutar ou fugir" instintivamente. Mas podemos aprender a ver além do que os olhos nos mostram, evitando os erros consequentes da decisão arbitrária. Em qualquer situação em que sua atenção seja desviada por alguém ou alguma coisa que não corresponde à sua expectativa, pare e foque de novo. Pergunte a si mesmo: "O que eu quero?".

Eddie, um corretor de impressões, ainda não havia conhecido o diretor de criação de uma das suas contas mais recentes, apesar de manterem uma relação por telefone e e-mail por alguns meses. Quando eles se encontraram pela primeira vez para um almoço, foi isso o que aconteceu nos primeiros vinte segundos:

Os olhos de Eddie se arregalaram quando ele viu Pierre de relance pela primeira vez. O homem não era nada como ele esperava. Para começar, Pierre tinha, no mínimo, 1,80 metro, e ainda tinha o cabelo raspado. O trabalho de Eddie era manter a rotatividade na loja – fazer com que os clientes se decidissem *rapidamente*, recebessem os seus materiais *rapidamente* e pagassem as suas contas *rapidamente*. A maioria das pessoas com quem trabalhava era pequena – *pessoas rápidas*. "O que eu vou fazer com esse gigante?", ele pensou inconscientemente. Qualquer um ou qualquer coisa que nos atrase vai nos prejudicar.

> ESTEJA CIENTE DAS SUAS PERCEPÇÕES E TENTE TER CERTEZA DE QUE ELAS NÃO ESTÃO ATRAPALHANDO OS SEUS NEGÓCIOS.

Mesmo antes que Pierre pudesse lhe oferecer um aperto de mão, Eddie estava tirando conclusões a respeito de Pierre baseando-se na sua aparência. E nenhuma delas iria ajudar esses dois homens a fazer uma conexão. À medida que chegaram à mesa do restaurante, Eddie tinha se convencido de que ele e Pierre não poderiam trabalhar juntos, e que ele provavelmente teria de passar adiante esse negócio.

"Eu acho que a companhia não teria dado essa posição a ele se ele não conseguisse fazer o trabalho", Eddie pensou, mas esse pensamento não foi tão reconfortante quanto esperava. Como ele poderia passar por cima desse tipo de primeira impressão, na qual as suas expectativas acabaram sendo completamente frustradas? Como ele poderia se comunicar abertamente com Pierre?

Pare aí mesmo! O problema de Eddie não é comunicar-se com Pierre; é comunicar-se consigo mesmo. Eddie estava focado na aparência física de Pierre, em vez de se focar em seu talento. Ele havia perdido de vista o que ele queria – um diretor de criação que não causasse problemas para os seus clientes, deixando tudo e todos mais devagares. No momento, Eddie não fazia ideia se Pierre iria fazer isso ou não, mas ele tinha diversas suposições.

Isso também é verdadeiro para as noções que você tem na sua cabeça a respeito de pessoas que encontra diariamente no escritório e que não conhece bem. O impacto inicial que a pessoa teve – um, doze ou 48 meses atrás – ainda pode estar afetando a sua percepção daquela pessoa hoje. Aquela má interpretação pode estar fazendo com que você não reconheça um recurso em potencial. Lembre-se: quando você gosta de uma pessoa, você vê o melhor nela, mas, quando não gosta, pode ver somente o pior. Julgamentos instantâneos criam filtros na nossa mente e tudo a respeito daquela pessoa passa a ser julgado por esses filtros. Coloque-os de lado e olhe para a pessoa novamente com olhos mais gentis e você poderá ter uma surpresa agradável a respeito do que estava perdendo.

EXERCÍCIO

Jogando com o espaço pessoal

Escolha um amigo, um colega ou alguém com quem você quer se divertir e tente isso.

Fique a seis metros de distância, um de frente para o outro. Diga ao seu amigo que, neste exato momento, vocês estão em um espaço público e que você irá caminhar em direção a ele vagarosamente. Peça para ele acenar ou avisar quando você entrar no *espaço social* dele.

Você é capaz de antecipar a resposta dele apenas observando a sua linguagem corporal. Uma vez que ele o deixou ciente de que você está no espaço social, continue a se aproximar devagar e peça para ele avisar quando entrar no *espaço pessoal*. Novamente, você provavelmente será capaz de ler as reações dele. Finalmente, depois que ele avisar que você está no espaço pessoal dele, peça que avise quando entrar no *espaço privado*. Mais uma vez, vai ser completamente óbvio pelas reações da pessoa, e você saberá no mesmo momento que ela própria se der conta.

Agora, inverta os papéis. Deixe essa pessoa fazer isso com você.

O objetivo desse exercício é ver, ouvir e sentir de uma maneira bem real que essas barreiras invisíveis existem e devem ser respeitadas. Quando você quer despertar uma resposta emocional a seu favor, entrar e sair do espaço pessoal e privado de alguém pode ter um efeito similar a criar ou quebrar a sincronia com esse alguém.

Respeite o espaço das pessoas. Intromissões inesperadas são ruins para a harmonia, especialmente se são uma surpresa.

Espaço pessoal

Uma das maneiras mais fáceis de errar, durante os primeiros noventa segundos de qualquer encontro, é interpretar erroneamente o quanto a outra pessoa precisa do seu espaço pessoal. Um erro pode ativar uma resposta que dificilmente será mudada.

Uma lente objetiva é como um telescópio: faz com que as coisas fiquem muito mais perto de onde realmente estão. Você pode enquadrar o rosto de um modelo usando uma lente objetiva e ainda estar a quatro metros e meio de distância. Agora tente tirar a mesma foto com uma lente comum e você estará muito próximo do rosto da pessoa – talvez a meio metro! A foto parece diferente? Sim, um pouco. A sensação é diferente? Sim, muito.

Quando outra pessoa chega muito perto de nós, isso pode acionar a nossa própria "reação lutar ou fugir". Nós entendemos que, quanto mais longe a pessoa estiver de nós, menos intimidadora ela é. Mas nem sempre estamos certos de como o nosso corpo e os nossos sentimentos se alteram conforme as pessoas se aproximam...

Imagine o seguinte: uma pessoa está caminhando em sua direção, passando do seu *espaço público* e entrando no seu *espaço social* e, em seguida, do seu espaço social para o seu *espaço pessoal*. Ele simplesmente continua vindo. O seu coração não acelera conforme a sua atenção naquela pessoa aumenta? Outros sentimentos não despertam conforme o seu corpo tenta entender o que essa pessoa vai fazer? A intromissão suprema ocorre quando alguém que não foi convidado invade o seu espaço pessoal – é quando você sente uma ânsia incontrolável de se retrair ou repelir o invasor com reações físicas ou verbais.

Soa dramático, não? Em um escritório cheio, o seu corpo passa por esse ciclo dezenas de vezes ao dia, sem que você esteja completamente ciente disso. Pessoas estão constantemente ignorando dicas e sinais, e se aproximam mais do que gostaríamos – ou se distanciam quando precisamos que nos escutem ou nos vejam.

> UMA INVASÃO INCONSCIENTE DO ESPAÇO PESSOAL DE ALGUÉM PODE ATIVAR UMA RESPOSTA QUE DIFICILMENTE SERÁ MUDADA E PODE LEVANTAR BARREIRAS REAIS.

NEUTRALIZE A "REAÇÃO LUTAR OU FUGIR"

Encoraje outros a fazerem julgamentos instantâneos sobre você. Estabeleça um humor receptivo e expectativas positivas.

- Preste atenção à sua linguagem corporal e imagem pessoal. Nós somos atraídos por pessoas que aparentam ser saudáveis e vigorosas. Atitude, postura, expressões faciais e contato visual influenciam a energia que você irradia. Ache um visual marcante que inspire confiança: uma combinação de autoridade e disponibilidade.
- Ajuste sua atitude para se adequar à situação antes de você se aproximar de alguém.
- Demonstre uma linguagem corporal aberta e um coração aberto: sorria, faça contato visual, aponte seu coração para o coração da outra pessoa e faça-a ver que você não tem nada para esconder nas mãos.
- Pergunte algo brando como: "Com licença, posso lhe fazer uma pergunta?", "Como você pode dizer...?", "O que você pensa a respeito de...?".
- Sincronize a sua linguagem corporal e o tom de voz. Se você está lidando com um pequeno grupo, sincronize-se com cada indivíduo quando se virar para ele.

EXPECTATIVAS PRECONCEBIDAS

Não podemos nos impedir (nem impedir os outros) de fazerem julgamentos instantâneos sobre as pessoas, mas podemos aprender a ver além do que os olhos enxergam. Não se perca no que a pessoa aparenta ser, ou nas interpretações erradas e antigas de como pensamos que a pessoa é. Lembre o que você quer e foque no resultado.

ESPAÇO PESSOAL

Respeite o espaço das pessoas. Chegar muito próximo de alguém pode ativar a "reação lutar ou fugir". Intromissões inesperadas são ruins para a harmonia, especialmente se forem de surpresa.

Trabalhe seu abecedário: atitude, linguagem corporal e coerência

No ano passado, visitei trinta cidades em uma cansativa, mas excitante viagem de seis semanas a negócios. Em uma tarde, voei para uma cidade que eu nunca havia visitado. Parei na central de informações do aeroporto para fazer uma pergunta. A resposta foi um grunhido e um dedo apontando para a direção correta. Sem contato visual e sem cortesia – nada. Que péssimo começo para uma cidade famosa.

No dia seguinte, voei para St. Louis. Antes da porta do avião abrir, eu olhei pela janela e vi que os carregadores de mala já haviam posicionado a esteira no bagageiro frontal do avião. As malas começaram a sair. Havia um rapaz no final da esteira que, a cada mala que pegava, dançava com ela em direção ao carrinho. Que atitude ótima esse rapaz tinha! Ele parecia estar se divertindo (ele poderia estar fazendo isso para se manter aquecido, já que era inverno), e isso preparou meu humor para a cidade. "É incrível!", disse para mim mesmo. Eu já gostava daquele lugar.

A quê eu estava reagindo através da janela do avião? Eu não conhecia aquele rapaz; nunca o tinha visto antes e, pelo que sei, nunca mais o veria novamente. Mas algo a respeito daquele estranho que nem sequer sabia que eu existia havia me tocado.

Ele havia me tocado com *atitude*. Atitudes motivam o comportamento. Antes de sequer dizer uma palavra, uma atitude pode contagiar as pessoas que o veem. Assim como riso, choro e bocejos são contagiosos, atitude também é. De alguma forma, apenas por olhar, eu havia sido contagiado pela atitude daquele homem, que me fez sentir alegria sem pensar duas vezes.

O abecedário da comunicação não verbal: atitude, linguagem corporal e coerência

Sua atitude é a primeira coisa que as pessoas captam na comunicação cara a cara. E só você pode conscientemente neutralizar a "reação lutar ou fugir". Você pode ajustar a sua atitude a seu favor, *se você desejar*. A chave para você comunicar a sua atitude é a linguagem corporal e a coerência.

EXERCÍCIO

Atitudes motivam comportamentos

Este é um exercício de ajuste de atitude. Reserve alguns minutos e não se reprima, prepare-se para uma viagem imaginária pelos corredores do seu escritório! Não se preocupe, não estamos pedindo para você parecer bobo – vai parecer normal para os seus colegas de trabalho. Noventa e nove por cento desse exercício acontece dentro da sua cabeça. Mostre apenas o comportamento necessário para se lembrar do que está acontecendo.

- Em uma manhã, imagine que você é um hipopótamo. Caminhe de forma lenta e propositalmente encare as pessoas como um hipopótamo – entre no espírito do hipopótamo. Entendeu? Agora, caminhe pelo escritório cumprimentando as pessoas conforme você passa por elas. Perceba como você se sente.

- Na manhã seguinte, imagine que você é um canguru, pulando de um lado para o outro todo energético e intenso. Coloque a atitude em prática e cumprimente mais algumas pessoas. Perceba como você se sente. Qual a diferença entre se sentir como um hipopótamo?
- Finalmente, imagine-se como um puma, esguio, caminhando cuidadosamente, extremamente atento e confiante enquanto anda pelo escritório.

Você notou alguma diferença em como as pessoas reagiram à sua atitude? Você irradiou algum tipo de energia diferente? As pessoas pareciam mais ativas quando você era um canguru? Elas falaram um pouco mais devagar quando você era um hipopótamo? Elas pareciam um pouco mais nervosas ou até um pouco assustadas quando você foi um puma?

Seu corpo e sua mente são um único sistema – mude um deles e o outro irá fazer igual. Coloque a língua para fora e as mãos ao lado da cabeça e faça aqueles chifres engraçados que as crianças fazem. Enquanto faz isso, tente se sentir triste. Você não consegue; o seu corpo não o deixará. Pule para cima e para baixo em um trampolim no churrasco dos seus vizinhos e tente ser sério. Não é possível; o seu corpo não permitirá. Isso é uma grande simplificação da conexão mente-corpo, mas você entendeu o ponto.

Antes de abrir a boca

Ligue no *The Tonight Show** e tire o som. Finja que você nunca viu ou ouviu falar de Jay Leno. Agora responda: esse cara é engraçado? Você riu, não riu? Se não riu, aposto que ao menos sorriu.

Por quê? Como isso aconteceu? A primeira impressão que Jay

* *Talk show* da TV norte-americana, antes apresentado por Jay Leno. Atualmente, é apresentando por Jimmy Fallon (N.T.)

Leno passa vem da linguagem corporal intencionalmente engraçada. Como temos uma tendência inerente de nos alinhar com a atitude das outras pessoas, nos sentimos do mesmo jeito que Jay nos primeiros segundos que o vemos – mesmo sem som.

A linguagem corporal de Jay Leno é o resultado de uma escolha mental intencional de sua atitude – ele toma decisões conscientes para agir da forma como age. O resultado é que seu corpo manda uma mensagem que todo mundo entende. Isso não acontece por acaso. Ele escolhe a atitude – ele entra no clima – antes de entrar no ar.

EXERCÍCIO

Resumo das atitudes/posturas

Realmente úteis	Realmente inúteis
Caloroso	Irritado
Entusiasmado	Sarcástico
Confiante	Impaciente
Encorajador	Entediante
Relaxado	Desrespeitoso
Prestativo	Arrogante
Curioso	Pessimista
Engenhoso	Ansioso
Confortável	Rude
Útil	Suspeito
Determinado	Vingativo
Calmo	Medroso
Paciente	Desconfiado
Acolhedor	Zombador
Animado	Envergonhado
Interessado	Irônico
Corajoso	Desencorajado

Qualquer um consegue fazer isso se quiser. Talvez você já tenha se aproximado de uma ou duas pessoas no trabalho e percebido tarde demais que elas estavam no meio de uma grande discussão. Você diz "olá". Elas olham para você como se nada estivesse acontecendo, sorriem e dizem: "Nick, que bom te ver!". Eles conversam de maneira agradável por alguns instantes e, assim que você sai, voltam para a discussão.

EXERCÍCIO

Três jogos de ajuste de atitude

Aqui estão três jogos que realmente vão reforçar o fato de que atitudes positivas fazem toda a diferença.

Conversa com o espelho

Quando crianças, nós aprendemos jogos de "faz de conta". Conforme crescemos, abandonamos essa valiosa ferramenta sociocognitiva. Felizmente, esses jogos ainda estão disponíveis para nós. Somos ótimos em simulações.

Tente isso: fique de frente para um espelho e diga "Você me deixa louco".

Agora com o máximo de linguagem corporal que você conseguir e com o tom de voz apropriado a cada atitude listada abaixo, diga a mesma frase novamente e simule que você está se sentindo...

1. Irritado
2. Corajoso
3. Feliz
4. Insignificante
5. Calmo

As mesmas palavras, cada vez com um sentido totalmente diferente. O que você viu, o que você ouviu, o que você sentiu? Agora passe por essas mesmas atitudes dizendo: "Eu vou para casa agora".

Avalie novamente. Você notou como o seu corpo mudou? Como o seu tom de voz se alterou cada vez que mudou de atitude? Quando você ajusta a sua atitude perto de outras pessoas, elas começam a ter o mesmo sentimento que você e passam a experimentar aquilo para elas mesmas. Qual é o sentido de você ser irritado e impaciente quando está tentando causar uma boa primeira impressão? Quão melhor seria ser animado e caloroso?

A fala do corpo

Escreva, ou melhor, lembre-se dessas cinco atitudes: *irritado, corajoso, feliz, insignificante* e *calmo.* A próxima vez que for conveniente, quando você encontrar alguém no corredor, em um shopping ou na rua, mude a sua linguagem corporal com essas atitudes. Comece irritado – ande, pense, respire, fale com você mesmo como se estivesse irritado. Depois de certa distância, mude rapidamente de irritado para corajoso. E, assim como você passou de irritado para corajoso, de corajoso passe para feliz, de feliz passe para insignificante, e de insignificante passe para calmo. A mudança pode acontecer a cada cinco escritórios, a cada quatro lojas ou a cada quarteirão – não importa.

Perceba como mudar a sua atitude afeta sua postura, respiração, pensamentos, expressões faciais, ritmo cardíaco, velocidade, caminhada e por aí vai. Perceba como as pessoas ao seu redor respondem. Se você se sentir um pouco psicótico fazendo esse exercício, está tudo bem. Mas se os seguranças o expulsarem do shopping, é provável que você esteja exagerando um pouco.

Vencedor ou perdedor

Separe 25 minutos. Nos primeiros cinco minutos, aja como um vencedor: peito estufado, postura de orgulho, respiração confiante vinda do abdome – imagine uma plateia ao seu redor vibrando enquanto você sorri. Nos próximos cinco minutos, aja como um perdedor. Deixe os ombros caírem, sinta-se miserável, com um olhar triste e uma expressão insegura. Nos cinco minutos seguintes, aja como um vencedor de novo, então cinco minutos como um perdedor e nos últimos cinco como um vencedor. Qual deles você preferiu? Ajuda saber como é se sentir das duas formas, mas quando é uma relação de negócios, nem é preciso dizer: aja como um vencedor.

Existem duas classes distintas de atitudes: as úteis, que atraem, e as inúteis, que repelem. *Engenhosa*, *curiosa* e *acolhedora* são exemplos das úteis; *entediada*, *hostil* e *impaciente* exemplificam o outro tipo.

Olhe para o resumo das atitudes na página 59. Para entrar no clima de se conectar com o mundo dos negócios em noventa segundos ou menos, você deve escolher qualquer uma das atitudes úteis que pareça correta para você.

Veja a lista e passe pelas palavras na coluna da esquerda. Passe por algumas das atitudes que te parecem atraentes. Para fazer isso, basta fechar os seus olhos e pensar em um *momento específico* em que você se sentiu daquela forma. Continue imaginando até você encontrar uma que se encaixe com você. Quando encontrar, feche os olhos e reviva o que você viu, ouviu e sentiu naquela hora (você pode acrescentar cheiro e sabor se eles fizerem parte), com o máximo de detalhes que conseguir. Traga as imagens, os sons e as sensações físicas. O cérebro é ótimo em reviver memórias sensoriais e deixar você brincar com elas. Mantenha essa atitude e divirta-se com ela.

Em seguida, faça o exercício do sorriso ("ótimo, ótimo, ótimo") da página 23, juntando esses dois exercícios. Feche seus olhos novamente, intensifique todos os sentidos mais uma vez e – quando as imagens forem grandes e coloridas, os sons claros e direcionados e você puder sentir as sensações físicas – escute a sua voz gritando "ótimo, ótimo, ótimo" em um tom audacioso. É essa sensação que você deveria ter com uma atitude realmente útil.

Você não pode liderar se não consegue convencer

Atitudes são reais e podem ser escolhidas de maneira consciente. Por meio das nossas atitudes treinamos as nossas emoções. Vamos analisar alguém que tem de escolher a atitude certa para ter qualquer chance de sucesso. O nome da pessoa é Erin e ela é a líder da equipe do departamento de tecnologia da informação de sua companhia. A equipe de Erin estava na lixeira. Nos últimos três meses eles foram requisitados a fazer mais – e obter resultados melhores do sistema de computadores da empresa – com menos recursos. Agora, ela tem mais notícias ruins para a sua equipe: é necessário avançar mais uma vez. Eles devem colocar um novo sistema no ar e não vão receber nenhum funcionário novo para ajudar.

Erin se sentiu extremamente desmotivada, e isso está estampado em seu rosto. Ela sabe que se for para a reunião com essa expressão, as coisas acabarão indo de mal a pior. Ela sabe que é difícil esconder aqueles sentimentos, então precisa mudar a forma como se sente. Ela deve mudar uma verdadeira atitude inútil de *desencorajada* para uma realmente útil. Mas qual? E como? Qual atitude ela precisa transmitir quando se juntar à equipe na sala de reuniões para anunciar o desafio que vai fazer com que todos o encarem?

EXERCÍCIO

Três atitudes realmente úteis

Existem três atitudes realmente úteis que todos os líderes têm em comum: entusiasmo, curiosidade e humildade. Na combinação certa, essas três atitudes criam uma presença irresistível.

Seja entusiasmado. Entusiasmo é hipnótico, magnético, incontrolável. Não é possível comprar – você só consegue revelá-lo. Ele contagia os outros com sentimentos de excitação, energia e vitalidade. A palavra entusiasmo vem do grego com o significado de "inspirado por uma entidade divina".

Seja curioso. Mostre-me uma pessoa de negócios com sede de aprender algo novo e vou lhe mostrar alguém que está evoluindo, movimentando-se e fazendo novas conexões. Esteja sempre aberto à sua curiosidade natural.

Abrace a humildade. A maior parte das pessoas bem-sucedidas tem grandes egos e uma tendência de se autopromover, mas conseguem se conter e demonstrar apenas uma personalidade baseada em modéstia e a serviço dos outros. Quando um grande ego é envolvido por humildade, torna-se um lindo pacote. Um ego que não é balanceado com humildade é arrogante e feio.

Pense em qualquer grande líder que você admira e você vai achar essas três atitudes no centro do seu sucesso. Entusiasmo, curiosidade e humildade podem ser comportamentos conscientemente escolhidos. Eles podem inspirar sinais inconfundíveis de vigor e receptividade.

A última vez que ela se sentiu dessa maneira foi dois anos atrás, quando estava desempregada e começando a duvidar de si mesma. Em uma tarde, estava passando pelos canais da TV e se deparou com um programa chamado *The Secrets of Talented Women**. Algumas mulheres de sucesso estavam discutindo como superar os inúmeros obstáculos da vida, e invocavam a coragem para ter sucesso. Algo sobre a atitude corajosa que essas mulheres mostraram nas entrevistas impulsionou Erin. Ela aprendeu algo. Começou a ir a entrevistas e reuniões com as costas retas e um sorriso no rosto e não demorou muito para conseguir o emprego que tem atualmente. Agora era hora de ela invocar sua amiga de confiança, sua atitude realmente útil chamada *coragem* mais uma vez.

Erin havia participado de um dos meus seminários e se lembrava de algumas técnicas que eu tinha ensinado sobre o ajuste de atitude. Então, fechou a porta, sentou-se e fechou os olhos. Sentada em silêncio, relembrou um momento específico do seu passado em que ela estava cheia de coragem. Acessou o que viu através dos olhos, escutou com os ouvidos e sentiu pelo seu corpo naquele momento. Em seguida, no olho de sua mente ela se viu, ouviu e se sentiu em ação fazendo o seu melhor. "Se eu pude fazer isso naquela época, sei que posso fazer agora", Erin pensou. Ainda sentada com os olhos fechados, cercada pelas coisas que via e escutava com detalhes e com o sentimento de coragem percorrendo o corpo, Erin disse para si mesma "ótimo, ótimo, ótimo". E se sentiu corajosa e animada novamente.

> MESMO QUANDO PARECE QUE O MUNDO ESTÁ ACABANDO, VOCÊ PODE MUDAR SUA ATITUDE DE INÚTIL PARA ÚTIL.

Percorrendo o corredor até a sala de reunião, Erin falava "ótimo" na sua cabeça tantas vezes e de tantas maneiras diferentes que queria gritar com toda a sua força para que todos pudessem se sentir tão poderosos quanto ela. Então, marchou para a sala como uma guerreira. Ela parecia uma líder, soava como uma líder e falava como uma líder. A equipe foi contagiada pela atitude dela. Todos realizaram o trabalho.

---

* Os segredos das mulheres talentosas (N.T.)

Saiba o que o seu corpo está dizendo

Coletâneas foram escritas a respeito de linguagem corporal, mas no final do dia tudo se resume a duas coisas: quais sinais você está enviando para os outros a respeito de você e qual feedback emocional está passando para os outros, em resposta aos sinais que estão lhe passando? A linguagem corporal representa mais da metade do todo sobre o qual as pessoas vão reagir e fazer suposições quando estão se conectando com você. Mais frequentemente do que parece, você não está pensando nisso conscientemente. Ao se tornar consciente, você está 50% à frente no jogo.

Aberto ou fechado?

Linguagem corporal pode ser vagamente dividida entre dois tipos de sinais: aberto ou fechado. A linguagem corporal aberta expõe o coração e é acolhedora, enquanto a fechada aparenta uma leve hostilidade e, às vezes, desinteresse. Em outras palavras, você está constantemente dizendo "Bem-vindo, eu estou aberto a negócios" ou "Sai fora, eu não estou aberto a negócios". Você pode estar se mostrando como uma oportunidade ou uma ameaça; um amigo ou um inimigo; confiante ou desconfortável; dizendo a verdade ou dizendo mentiras. Eu comecei esse capítulo falando sobre atitude, pois quando você opera a partir de uma atitude realmente útil, a sua linguagem corporal tende a tomar conta dela mesma. Atitudes como entusiasmo, curiosidade e humildade trazem sinais inconfundíveis de receptividade. No entanto, há decisões conscientes para se ter certeza de que você está mostrando a sua melhor face.

Aberto para negócios

Se você quer mostrar que está aberto a negócios, que é amigo e não inimigo, sem precisar dizer uma palavra, precisa se abrir para o mundo nos primeiros segundos de cada encontro. Abrir a sua linguagem corporal – junto com as expressões faciais – inclui braços e pernas descruzados, olhos na direção da pessoa, bom contato visual, sorriso, caminhada e postura eretas, inclinação para a frente, ombros flexíveis e uma aura relaxada. A linguagem corporal aberta faz uso expressivo de mãos, braços, pernas e pés.

EXERCÍCIO

De coração para coração

Por um dia, aponte o seu coração para o coração de todas as pessoas que você encontrar. Isso irá demonstrar uma linguagem corporal aberta e vai construir confiança e conforto. Quando os instintos de uma pessoa perguntarem "amigo ou inimigo? oportunidade ou ameaça?", você sairá por cima.

Segurando algo (deixando as pessoas de fora)

A linguagem corporal e facial fechada, como esperado, é o oposto. Se o seu coração está virado para outra direção e seus braços e pernas estão cruzados de maneira defensiva, se você esconde as suas mãos, mostra pulsos fechados, evita o contato visual, se movimenta de maneira inquieta e mostra uma tendência a se distanciar, está revelando sinais de desconforto, rejeição e apreensão. A linguagem corporal fechada expõe movimentos estranhos e reduzidos dos membros.

Deixe-me fazer uma ressalva: gestos individuais e palavras sozinhas nesta página não fazem uma frase inteira, mas quando dois ou mais gestos são combinados, começam a dar sinais claros de como uma pessoa está se sentindo.

Sincronizando a linguagem corporal

Pessoas que estão em harmonia exibem uma característica interessante de comportamento: inconscientemente, sincronizam a sua linguagem corporal e as suas características vocais. E como Muldoon me ensinou, quando você propositalmente sincroniza seu corpo com o do outro, conexões incríveis podem acontecer. A nossa resposta à sincronização é uma função da nossa predisposição a sermos recíprocos de modo comportamental. É intrínseco do cérebro humano.

EXERCÍCIO

Sincronize sua linguagem corporal

Por um dia, sincronize de maneira geral a sua linguagem corporal com as pessoas que você conhece. Essa é a maneira mais fácil de construir confiança e comunicação. Não exagere. Faça o mínimo necessário para ajustá-la.

Nós naturalmente sincronizamos o nosso tom de voz e a nossa linguagem corporal com as de nossos amigos e pessoas em quem confiamos. Você pode fazer isso com qualquer pessoa, é só escolher.

Faça e desfaça

Uma vez que você estiver bom – um dia deve ser suficiente para você se tornar um expert –, pratique sincronizar a linguagem corporal por trinta segundos, então quebre a sincronia por trinta segundos, depois sincronize de novo. Faça esse ciclo algumas vezes.

Note a diferença. Não parece que há uma parede sendo erguida à medida que a confiança desaparece? Agora, sincronize novamente e sinta o alívio enquanto ela volta.

Eu mencionei esse fenômeno no meu primeiro livro e, durante uma entrevista, no rádio, a entrevistadora me disse: "Eu li seu livro no final de semana. No domingo à noite meu marido me levou para jantar e eu decidi testar o seu exercício de sincronia com alguém do restaurante, para ver o que aconteceria. Eu estava um pouco cética".

Ela prosseguiu explicando que, a umas três mesas de distância, estava sentado um casal um pouco mais velho. A mulher estava mais ou menos olhando na direção deles, mas eles não faziam contato visual.

"Por vinte minutos, eu gentilmente me sincronizei de maneira geral com a linguagem corporal e postura dela. Quando ela se mexia, eu me mexia; quando ela trocava o peso dela de um cotovelo para o outro, eu fazia o mesmo. Eu fiz tudo sem nunca olhar diretamente para ela. Então uma coisa incrível aconteceu. A mulher se levantou e veio em minha direção, dizendo 'Com licença, mas eu tenho certeza de que a conheço'. Eu fiquei pasma."

Minha entrevistadora havia aprendido a ser um camaleão, para afetar os sentimentos e comportamentos – fazer uma conexão –, sem ao menos dizer uma palavra. Imagine quão mais efetivo você pode ser quando está cara a cara com clientes e colegas de trabalho, amigos ou estranhos, usando todas as ferramentas que possui para fazer uma conexão.

No final de um dos exercícios de sincronização de um dos meus seminários, um rapaz perguntou se ele poderia compartilhar uma história com as centenas de pessoas presentes ali. No começo da sessão, ele parecia cheio de energia, mas naquele momento estava muito sério. Todos os olhos estavam focados nele. Ele se sentou no palco e começou.

"Eu sou do Brasil. Um dia, aproximadamente três anos atrás, eu cheguei em casa e encontrei a minha irmã apontando uma arma para sua boca. Fiquei muito assustado. Não sabia o que fazer." Ele respirava devagar, seus olhos perderam o foco enquanto contava a história. "Nós sempre tivemos armas em casa. Não sei por que peguei uma arma e sentei-me ao lado dela. Eu estava sentado igual a ela, dessa forma." Ele nos mostrou: joelhos juntos, cotovelos apoiados nas coxas, uma mão próxima à boca e a outra segurando o pulso da outra mão. "Eu tinha a arma nesta mão." Ele flexionou a mão que estava perto da boca. "Eu coloquei o meu corpo na mesma posição que o dela e posicionei a arma na direção da minha boca. Eu me senti terrível; queria vomitar. Nunca me senti tão mal na vida. Acho que sei exatamente como ela estava se sentindo." Era muito emocionante vê-lo compartilhando aquela história com a gente. "Eu não sei quanto tempo nós ficamos sentados lá, dividindo toda angústia pela qual ela estava passando... Após um tempo, meus sentimentos ficaram mais claros. Eu vagarosamente tirei alguns centímetros da arma de minha boca. Depois do que pareceu uma eternidade, senti a minha irmã fazer o mesmo. Esperei e então movi a arma para longe do meu rosto; e novamente minha irmã me copiou. Eu tinha lágrimas escorrendo pelo rosto. Eu não havia olhado para ela todo esse tempo, porque estávamos sentados lado a lado, mas eu sabia que ela estava chorando também."

Seus olhos focaram novamente e ele parecia satisfeito. "Por fim, coloquei a arma no chão na minha frente e minha irmã fez o mesmo. Não sei por que fiz isso, mas não conseguia imaginar o que *falar* para ela. Só sabia que tinha de *fazer algo*."

Eu sou eternamente grato por esse brasileiro ter compartilhado a sua história conosco. Foi uma ilustração valiosa de como sincronia e linguagem corporal podem ser mais poderosas que palavras.

Sincronize características vocais

Como acabamos de ver, uma simples sincronização da linguagem corporal faz uma grande diferença na capacidade de conectar e convencer. Transmite uma mensagem: "Eu estou com você. Estou na mesma página que você". Agora, dê um passo adiante ao sincronizar as características vocais. Sincronizar-se com a voz de outra pessoa cria uma harmonia inconsciente, não só em situações cara a cara, mas também em situações de voz, ao telefone, por exemplo. Iguale humor, energia e ritmo ao humor, energia e ritmo da outra pessoa. Essas características vocais vêm de velocidade, afinação, tom e volume da voz.

De maneira simples, para alguém que fala rápido, não há nada mais irritante do que alguém que fala devagar. Nada aflige mais alguém que fala baixo do que os berros de alguém que fala alto, e nada incomoda mais alguém de conversa tranquila do que os grunhidos de alguém que fala choramingando. Acho que você entendeu a ideia.

Se você sincronizar a sua linguagem corporal, atitude e tom de voz com outra pessoa, os sentimentos dela irão refletir em você. Você vai começar a se sentir como ela!

EXERCÍCIO

Igualando as vozes

Por um dia, divirta-se igualando volume, velocidade, tom e afinação (os altos e baixos) das pessoas que você encontrar. Mas não exagere. Faça o mínimo possível para se ajustar a elas.

Convencimento e coerência

Quando sua linguagem corporal, tom de voz e palavras dizem a mesma coisa, você tem uma atitude completa – isso é chamado de *coerência*. O que isso realmente significa é que você é "acreditável", verossímil, transmite credibilidade. Vamos voltar ao *The Tonight Show* novamente por um minuto. Se Leno em uma noite dissesse à plateia "Nós vamos nos divertir de verdade hoje à noite!", enquanto sua expressão facial e corporal aparentasse irritação, ele não seria convincente. Linguagem corporal é mais importante que o tom de voz e que as palavras usadas.

Dirija-se a uma pessoa que você conhece e diga "Eu estou tendo um ótimo dia", enquanto balança a sua cabeça para os lados como em um sinal de negação. Veja se ela acreditará nas suas palavras mais do que em seus gestos. Não vai. Agora tente dizer a mesma coisa em um tom de voz irritado. Ela vai acreditar em você? Claro que não. O seu tom de voz transmite seus verdadeiros sentimentos.

Em 1967, na Universidade da Califórnia, em Los Angeles, o dr. Albert Mehrabian publicou um artigo intitulado "Decodificação da Comunicação Inconsistente". Nesse artigo, ele relatou que, na comunicação cara a cara, 55% do todo ao qual reagimos acontece visualmente; 38% significam o som da comunicação e apenas 7% envolvem realmente as palavras usadas. Em outras palavras, primeiramente as pessoas darão credibilidade ao que elas veem – aos seus gestos e linguagem corporal –, depois ao seu tom de voz e por último às palavras usadas. Quando os três Vs – visual, vocal e verbal – estão dizendo a mesma coisa, nós chamamos isso de ser *coerente* ou *convincente*.

> NA COMUNICAÇÃO CARA A CARA, PESSOAS DÃO MAIS CREDIBILIDADE AO QUE ELAS VEEM, DEPOIS AO TOM DE VOZ E POR ÚLTIMO ÀS PALAVRAS QUE ESTÃO OUVINDO.

Eu recentemente me encontrei sentado na sala de conferências de uma empresa nacional de mídia dando treinamento acelerado *one-on-one* para diversos gerentes seniores. Terry, o vice-presidente de produção, sentou-se do outro lado da mesa e disse: "Eu sei tudo sobre a sua teoria de criar harmonia com as pessoas, mas não consigo fazê-la funcionar". Terry foi rápido em pontuar que tinha ambições elevadas dentro da empresa, mas havia sido descartado para promoções diversas vezes. "As pessoas me escutam, mas eu não consigo construir relacionamentos." Nesses primeiros segundos, o problema de Terry, ou pelo menos de boa parte dele, estava estampado em seu rosto.

Ele se sentou do outro lado com os cotovelos apoiados sobre a mesa e mãos inclinadas, como se estivesse rezando, as pontas dos dedos tocando os lábios enquanto falava. Sua voz saía aos trancos e seus olhos passeavam pela sala toda à procura de pensamentos e palavras. O corpo de Terry indicava sentimentos de nervosismo e impaciência. Meu corpo captou o que o corpo dele estava dizendo e me fez sentir da mesma maneira. No final das contas, ele passava esses sinais de impaciência o tempo inteiro. O resultado é que, quando as pessoas buscavam a opinião de Terry, frequentemente começavam as frases com "Isso não vai levar mais do que um instante" ou "Eu não vou segurá-lo por muito tempo".

Mas aqui está o real motivo: enquanto as outras pessoas pensavam que Terry era impaciente quase ao ponto de ser rude, ele pensava que estava passando entusiasmo e energia. Terry era incoerente – ele passava mensagens confusas. Sua habilidade de se conectar com os outros e passar suas mensagens bem intencionadas estava em risco, assim como as suas chances de ser promovido.

Felizmente, o problema de Terry era fácil de ser resolvido. Primeiro eu mostrei para ele como transferir a respiração do peito para a barriga: da sua respiração normal, ansiosa e do tipo "lutar ou fugir" para uma mais relaxada e centrada, como praticada nas artes marciais ou por oradores profissionais e músicos. (Você vai aprender como fazer isso na página 231.)

Em segundo lugar, nós fizemos uma checagem de tom. Eu escolhi quatro atitudes: *nervoso*, *surpreso*, *preocupado* e *gentil*. Em seguida, mostrei a ele uma lista de quatro frases: "Nós precisamos tomar alguma atitude", "Eu estou com fome", "O que aconteceu na reunião da semana passada?" e, por último, a data daquele dia "14 de agosto".

Eu pedi para ele escolher uma atitude e falar uma das frases. Meu trabalho era compreender qual atitude ele havia escolhido. A princípio eu errei feio. Quando ele pensou que soava surpreso, eu achei que estava bravo; quando ele achava que estava sendo gentil, achei que ele estava preocupado.

Em seguida nós invertemos os papéis. Curiosamente, ele me decifrou quase todas as vezes. Ele assumiu a liderança novamente e eu pedi para que fizesse uma pausa e fechasse os olhos por um momento, prestasse atenção na respiração e lembrasse situações nas quais realmente tivesse sentido aquela sensação que queria expressar e só então dizer a frase. Bingo! Funcionou. A personalidade de negócios de Terry estava entrando no caminho de suas emoções. Quanto mais calmo Terry respirava, mais sua voz começava a refletir os seus verdadeiros sentimentos.

Você vai lembrar que, para ser convincente, primeiramente precisa parecer de confiança. Quando você não é coerente, as pessoas irão suspeitar, pois você não aparenta dizer o que realmente pensa. Uma vez que Terry aprendeu a ser coerente, seus problemas de relacionamento se tornaram coisa do passado.

> SE SUAS PALAVRAS E LINGUAGEM CORPORAL NÃO ESTÃO DIZENDO A MESMA COISA, AS PESSOAS FICAM CONFUSAS E PERDEM O INTERESSE.

Feedback: dê e receba

O ponto central do problema de Terry era a desconexão em dar e receber feedback. O feedback de outras pessoas regula e controla muito mais do que o fluxo e o refluxo da comunicação cara a cara; ele é responsável pelo ritmo vital do nosso corpo, nosso balanço emocional, nossa saúde e a nossa sanidade. Nós não podemos sobreviver sem o feedback de outras pessoas.

Você viu o filme *Náufrago*, com Tom Hanks? A única maneira de ele sobreviver psicologicamente e emocionalmente enquanto estava naquela ilha deserta foi inventar alguém com quem pudesse conversar e receber feedback (imaginário). Ele fez de uma bola de vôlei uma cabeça humana (chamada Wilson) e então projetou a sua personalidade nela. Ela acabou se tornando a sua melhor amiga.

Ele falava com ela, compartilhava sentimentos e pedia conselhos. Tom e Wilson tinham uma relação emocional profunda. Wilson o mantinha são. Se você não viu o filme, isso pode soar um pouco louco, mas o fato é que, sem o feedback de outras pessoas, o nosso ritmo corpóreo se torna caótico e nós adoecemos facilmente.

NINGUÉM GOSTA DE CONVERSAR COM UMA PAREDE. REAJA ÀS PESSOAS E A CONEXÃO SE TORNARÁ MAIS FORTE.

Quando estamos nos conectando com outras pessoas, o feedback é responsável pela qualidade de fluidez do encontro. Imagine jogar tênis sozinho. Se você manda uma bola por cima da rede e ela não volta, vai precisar mandar uma nova bola. E mais uma. Rapidamente você estará entediado.

Pessoas que não dão feedback aparentam estar desorientadas e entediadas, enquanto o comportamento delas se torna uma profecia que cumpre sua autoexpectativa. Conectar-se é um acordo de mão dupla, no qual os participantes encorajam um ao outro. Se você parece estar interessado e age de maneira interessada, eu suponho que está interessado. Se não reage ou responde, eu suponho que não está interessado e então passo a desejar estar em algum outro lugar que não com você.

Use o seu corpo e o seu rosto para demonstrar interesse. Incline-se para a frente, para os lados, sente na ponta da sua cadeira, sorria, franza a testa, encolha os ombros, jogue as mãos para cima, acene com a cabeça, ria, chore... *responda*! Quando seu chefe, cliente ou colega de trabalho falar com você, dê feedback. Uma frustração constante que eu escuto de funcionários a respeito dos seus chefes é que eles não dão feedback.

Observe como outros respondem, especialmente pessoas que você admira. Procure também por feedbacks não produtivos – aqueles que quebram a conexão. Pratique as suas respostas de maneira mais sutil, mas ainda assim identificáveis. Perceba como as pessoas reconhecem feedbacks.

Nas minhas aulas, eu peço para que os participantes preencham um formulário e me avisem que terminaram usando apenas o feedback não verbal; até eu ter certeza de que recebi sua mensagem. Você ficará surpreso com a variedade de respostas desde mãos abanando e piscadelas até ajuste da posição dos óculos e toques no nariz, de grandes sorrisos até imperceptíveis estreitamentos dos olhos. Como regra geral, quanto mais sutil você for, mais intimidade alcança. Em um leilão, algumas pessoas dão os lances com acenos ou grandes gestos, enquanto os leiloeiros mais experientes fazem gestos praticamente imperceptíveis. Sutileza irradia confiança.

EXERCÍCIO

Feedback

Brinque com o feedback. Quando você entra em uma conversa ou participa de uma reunião, pode mostrar que compreende e concorda ou que discorda usando apenas a linguagem corporal (acenos, sorrisos e por aí vai), apenas a linguagem verbal ("Sim", "Não", "Claro", "Como?") ou as duas. Dê feedback por um minuto ou dois e então pare. Mude para feedback não verbal, depois para feedback verbal e, por fim, os dois. Tente também não dar nenhum. Veja o mínimo de feedback que você pode dar; veja o quão sutil você pode ser.

O feedback bem direcionado faz as pessoas sentirem que você está dando a sua atenção e que o que estão falando está tendo um impacto.

De uma maneira geral, tudo na nossa vida é feedback. Todo comportamento é um vai e vem de feedbacks, é uma resposta a algum estímulo. Você evolui e avança sabendo o que quer, agindo, recebendo feedback e usando uma resposta para mudar o que está fazendo até obter o resultado desejado. Quanto melhor você for em processar feedback, melhor será para as suas relações.

> Como uma regra, quanto mais sutil você for, mais intimidade atingirá.

Quando se conectar com as pessoas, nos negócios ou na vida social, seu objetivo é ser bem-vindo ao espaço da outra pessoa, e não excluído dele. Ao ajustar a sua atitude, abrir o seu coração, sincronizar a sua linguagem corporal, ser coerente, oferecer e responder a feedbacks, você fará com que os instintos naturais de sobrevivência da outra pessoa se acalmem.

A CHAVE É A ATITUDE

- A atitude é infecciosa. É a primeira coisa que as pessoas notam em você e é imediatamente refletida naqueles que estão próximos.
- A atitude é composta de linguagem corporal, tom de voz e escolha de palavras. Se você está entusiasmado, então pareça entusiasmado, soe entusiasmado e use palavras entusiásticas.
- Você pode controlar e ajustar a sua atitude se desejar. Sua mente e corpo são um sistema – mude um e o outro também mudará.
- Aprenda a distinguir atitudes que são realmente úteis e atraem as pessoas (sendo receptivo, entusiasmado e confiante) e atitudes que são realmente inúteis e repelem as pessoas (sendo irritado, arrogante ou impaciente).

LINGUAGEM CORPORAL

Torne-se consciente do que a sua linguagem corporal diz, porque ela corresponde a mais da metade do que as pessoas respondem quando se conectam a você.

- Linguagem corporal aberta: pernas e braços descruzados, um bom contato visual, sorriso, inclinação para a frente expõem um coração que é acolhedor. Sinaliza: "Eu estou aberto a negócios".
- Linguagem corporal fechada: braços fechados defensivamente, desviar o olhar, esconder as mãos e distanciar-se defendem o coração e repelem as pessoas. Sinaliza: "Eu estou fechado a negócios".
- Direcionar o seu coração ao coração do outro: sem obstrução dos braços cruzados, pranchetas ou pilhas de papéis. Este é um jeito fácil de demonstrar que está aberto a negócios.

SINCRONIZANDO A LINGUAGEM CORPORAL E AS CARACTERÍSTICAS DE VOZ

Pessoas em harmonia inconscientemente sincronizam sua linguagem corporal e características vocais. Se você propositalmente sincronizar a sua linguagem corporal com a de outra pessoa, irá criar uma sensação de compreensão e confiança, e conexões incríveis podem acontecer. Da mesma forma, se você sincronizar a voz – falar devagar com alguém que fala devagar, animadamente com alguém que fala rápido, baixo com alguém que fala baixo –, vai desenvolver rapidamente um senso de harmonia.

COERÊNCIA

Quando sua linguagem corporal, tom de voz e palavras estão dizendo a mesma coisa, você é coerente e passa credibilidade. Para se tornar persuasivo, você primeiramente deve ser de confiança. Se as suas palavras e sua linguagem corporal não estão dizendo a mesma coisa, as pessoas ficarão confusas e perderão o interesse. Então, tenha certeza de que seu corpo não está dando sinais negativos (impaciência, irritação ou desatenção), contrários às suas palavras.

FEEDBACK

- Ofereça e responda ao feedback, tanto verbal quanto não verbal. Pareça e aja interessado, incline-se para frente, sente na beirada da cadeira, sorria, encolha os ombros. Se você não responde, as pessoas irão entender que você não está interessado e desejarão estar em outro lugar.
- O feedback dá forma, direção e profundidade aos encontros. Enquanto você estabelece conexões, o feedback é responsável pela qualidade do encontro que está em andamento.
- Um feedback bem direcionado faz com que as pessoas sintam que você está dando a sua atenção ao que elas estão falando e que aquilo está tendo algum impacto.

Fale a linguagem do cérebro

Em se tratando de conexões imediatas, boas intenções podem nos levar a lugares que nunca tivemos a intenção de ir. Veja este piloto de uma companhia aérea com a qual eu voei recentemente: "Olá passageiros, aqui é o capitão. É muito bom tê-los a bordo. Agora que estamos a caminho, eu só queria alguns momentos para deixá-los cientes de que não há previsão de nenhum tempo ruim, então não devemos encontrar nenhum problema e, se tudo sair de acordo com o planejado, não haverá empecilhos para chegarmos a Londres no horário previsto".

Credo! De repente, toda ansiedade de voar que eu já havia sentido na vida tinha sido ativada. Eu havia tido um daqueles dias de carma positivo – viagem tranquila para o aeroporto, atendentes de *check-in* educados, um ótimo lugar. Mas agora ali estava o capitão narrando os maiores medos de todos aqueles que voam frequentemente: uma viagem difícil, tempo ruim e problemas em chegar no horário ao destino. E eu não fui o único a me sentir daquele jeito. Houve uma grande troca de olhares nervosos entre as pessoas.

Nosso piloto havia falhado em se conectar com os passageiros porque não falava de uma forma positiva e dizia o que realmente queria dizer, que era: "Sentem-se e relaxem; vai ser um voo tranquilo e nós iremos chegar no horário". O que realmente aconteceu. Mas, ao falhar em se comunicar de uma maneira positiva, o piloto plantou uma série de sugestões negativas na mente dos passageiros.

O seu cérebro só pode processar informações positivas

Onde está o leite na sua geladeira? Eu sei que você sabe, mas como você sabe? Aqui está como: na sua cabeça, você fez uma imagem rapidamente do interior da sua geladeira e viu onde estava o leite. Fantástico.

Qual é a sua música favorita dos Rolling Stones (ou qualquer outra banda que você ame)? Entendeu? Como você fez isso? Você a tocou na sua cabeça para verificar.

Qual é a sensação da areia? Mesmo conceito. Você foi à sua mente e buscou a informação sensorial para confirmar a sua experiência.

Isso é a linguagem do cérebro – imagens, sons e sentimentos. A linguagem falada vem depois da entrada das sensações. Agora, você consegue imaginar-se não fazendo alguma coisa? Não sentindo alguma coisa? Não vendo alguma coisa? Você não consegue, porque o cérebro não processa imagens, som ou sentimentos negativos. O que eu quero dizer é o seguinte: na sua imaginação, você consegue construir uma imagem de você *não* alimentando um cachorro? Não, você não consegue. Tudo que você consegue fazer é imaginar-se fazendo alguma outra coisa – em pé ao lado do cachorro, passeando com o cachorro, fazendo bungee jumping com o cachorro. Todas são imagens de você não alimentando o cachorro. O seu cérebro trabalha apenas com informações positivas. Ele pega todas as informações das experiências dos seus cinco sentidos e então mistura tudo no liquidificador emocional que chamamos de imaginação.

Mais prazer ou mais problemas?

Eu recentemente comprei um novo sistema de computador para o meu escritório. Quando agradeci a mulher pela ajuda, ela respondeu: "Sem problemas".

Problemas? De onde surgiu um problema de repente? Eu nunca pensei em problemas – até agora. Vamos tentar de novo.

– Obrigado pela sua ajuda hoje.

– Foi um prazer.

Ah, "prazer". Agora sim, esse sentimento é muito melhor. É bom me dar prazer ao invés de problemas, mesmo que inconscientemente – e inconscientemente é até onde o nosso processamento de linguagem vai. Você prefere ser recebido com um "Como vai a batalha?" ou "Muito bom te ver"?

> ESTEJA CIENTE DAS MENSAGENS SUBLIMINARES NAS PALAVRAS QUE VOCÊ ESCOLHE. DIGA "O PRAZER FOI MEU" OU "FOI UM PRAZER" EM VEZ DE "SEM PROBLEMAS".

Vamos começar no nível mais simples possível. Se você ensina um cachorro a pular quando diz "Pula", o que você acha que ele vai fazer quando você disser "Não pula" sem mudar o seu tom de voz?

Isso mesmo – o cachorro irá pular! Mesmo nós, humanos, que conseguimos processar a linguagem, quando escutamos "Não pula" primeiramente pensamos em pular e em seguida desviamos o pensamento. Isso é porque "não" e todas as negativas, na verdade, não são linguagem.

Então se "não" ou negações em geral não são computadas pelo cérebro, o que eu posso esperar do primeiro pensamento da minha filha quando eu digo "Por favor, não bagunce o seu quarto"?

Recentemente, fiz um discurso em um resort no qual a piscina fazia uma curva por dentro do centro de convenções. Como parte do discurso de abertura, o presidente da associação brincou com os atendentes: "Por favor, não caiam na piscina". Você poderia ver os seus olhos brilhando momentaneamente enquanto eles se imaginavam fazendo isso. Nós mesmos fazemos isso quando dizemos algo como "Eu não quero estragar essa negociação". E quantos de nós terminamos uma carta com a seguinte frase: "Se você quiser mais informações, por favor, não hesite em me contatar"?

Quantas sugestões negativas você planta na mente dos seus consumidores, clientes, colegas, pacientes ou estudantes com as palavras que escolhe todos os dias? Claro que isso pode ser um caso de semântica, desde que os seus consumidores e clientes estejam cientes do que você quer dizer. Mas tenha em mente que o cérebro primeiro pensa no comportamento e depois pensa no comportamento oposto para substituí-lo. Que tipo de pensamentos você está despertando em seus clientes, superiores ou empregados quando diz as frases abaixo? Você consegue diferenciar as mensagens positivas e negativas?

Não se preocupe com as bebidas no mercado.
Sem problemas.
Invista no longo prazo.
Não entre em pânico!
Nós não faremos nada impensado.
Ligue-me quando você tiver mais informações.
Eu não o levaria tão a sério.
Nós cobrimos todos os pontos-chave.
Isso não vai doer nem um pouco.
Não tem como você perder.
Foi um prazer.

Aqui o K ("saiba o que você quer", "pense positivo"), do seu KFC, entra em jogo de novo. Nos negócios, você precisa estar ciente de como usa a linguagem e deve encorajar os seus funcionários a estarem cientes também e a ter o hábito de falar e pensar positivo. Colocando de outra maneira: aprenda a não falar na negativa. (Processe isso!)

Bom humor acima de tudo

Enquanto o cérebro processa as informações e as experiências são alimentadas pelos cinco sentidos, as sensações são transformadas em linguagem. Em certo nível só há, de fato, seis coisas que fazemos dia após dia. Cinco delas têm a ver com os nossos sentidos: nós vemos, ouvimos, tocamos, provamos e cheiramos. O que você acha que é a última coisa? Nós processamos a linguagem: processamos as nossas experiências em palavras e as comunicamos.

Todos os dias, saímos pelo mundo e temos experiências por meio dos nossos sentidos. Depois, explicamos as nossas experiências, primeiro para nós mesmos e depois para os outros. Pensamos em palavras (falamos sozinhos) e depois falamos com o mundo, explicando as nossas experiências.

Nós passamos grande parte das nossas vidas explicando as nossas experiências. É um dos elementos fundamentais em se conectar com outras pessoas. Explicar é um trabalho difícil, e um problema que a maior parte de nós tem é que caímos em padrões de explicação das nossas experiências de uma maneira preordenada. E mais: cedo ou tarde, pensamos sem pensar!

Todo mundo tem um estilo de explicar. Algumas pessoas desenvolvem o hábito de explicar as suas experiências para si mesmas e para os outros de uma maneira positiva, enquanto outros dão as suas explicações de um ponto de vista negativo. Existem vários estilos de explicação, mas basicamente é possível dividir em dois grupos: positivo e negativo.

Uma explicação positiva resulta em você ser percebido como entusiasmado, otimista e muito bom em enxergar oportunidades. Um estilo negativo pode ser tachado desde um realista bom em enxergar problemas até um completo pessimista. Esses estilos afetam a sua atitude. E, como você já sabe, atitude é contagiante.

Eu tenho certeza de que o nosso piloto, caso tenha pensado, achou que estava sendo prático e realista com o seu anúncio, mas a maneira de explicar e a escolha de palavras influenciaram o resultado da comunicação. A boa notícia é que você pode escolher o seu estilo de explicar e, por essa razão, mudar sua atitude. E quando você conquista isso, você pode moldar como as pessoas se sentem e como se sentem em relação a você.

Tudo se resume ao seguinte: conforme as suas experiências se tornam palavras, suas palavras se tornam ações, suas ações se tornam hábitos, seus hábitos se tornam sua imagem e sua imagem se torna seu destino.

Causa e efeito

Todos nós temos uma tendência inata de explicar porque as coisas acontecem. As melhores ferramentas que temos para isso são relatos de causa e efeito. Existem duas maneiras de contar esses relatos. Uma é estabelecer a causa fora de você: "Aquele idiota da contabilidade me deixou de mau humor". O outro jeito é você atribuir a algo dentro de você: "Eu sou um gênio".

É claro, nem sempre uma dessas atribuições é correta, mas a chave para você descobrir qual está correta normalmente está no uso de uma simples expressão – uma das mais usadas. Trata-se do "por quê" que usamos nas perguntas.

Crianças sabem disso. Elas são ótimas entrevistadoras. Pelo que eu posso dizer, estão programadas para perguntar "Por quê?": "Por que estamos indo lá?", "Por que ele está usando aquele negócio no nariz?", "Por que você está dirigindo tão depressa?". Isso é a curiosidade natural agindo. Mais cedo ou mais tarde, essa curiosidade inata é reprimida, minimizada como uma janela de computador, por adultos que estão ficando loucos pelo incessante "por quê? por quê? por quê?" de seus filhos. Mas isso está sempre dentro de nós, operando em um plano de fundo, mesmo quando somos adultos e achamos que essa fase já se foi.

Nós evoluímos como espécie por meio da lógica, razão, comparação e, mais importante, processando feedback. Curiosidade – o instinto que está agregado ao "por que" – é um elemento crítico nesse processo. Você já notou que seu cérebro acha muito mais satisfatório processar uma informação em uma situação de causa e efeito do que em uma de apenas causa, ou apenas efeito? Isso porque...

Aí está. Eu poderia ter terminado o meu comentário anterior antes da palavra "porque". No entanto, quando eu introduzi a palavra "porque", pareceu que isso levaria a algo muito mais satisfatório para a sua curiosidade natural, e estava oferecendo a possibilidade a uma explicação completa de causa e efeito. Em outras palavras: quando você faz isso, tal coisa acontece. Como podemos utilizar isso para a nossa própria vantagem, quando estamos nos conectando nos negócios (ou em qualquer situação, na verdade)?

> VOCÊ AUMENTA AS SUAS CHANCES DE CUMPLICIDADE SE OFERECE UMA RAZÃO DO PORQUÊ QUER QUE ALGO SEJA FEITO.

"Porque..."

Dizer às pessoas por que você está fazendo algo tem uma grande influência em como elas reagem, porque, normalmente, elas estão mais dispostas a aceitar pedidos quando razões são dadas a elas. Ellen Langer, psicóloga da Universidade de Harvard, demonstrou isso em um estudo que começou a mostrar que pessoas respondem automaticamente e sem pensar quando o estímulo correto é dado. Esse estímulo era uma resolução de causa e efeito.

Aqui está o que aconteceu: em uma biblioteca movimentada, uma de suas cobaias se aproximaria da pessoa no começo da fila da copiadora, dizendo "Com licença, eu tenho cinco páginas. Posso usar a copiadora na sua frente *porque* estou com pressa?". Esse pedido foi convincente em 94% das vezes. Mais tarde, quando a pessoa voltou e perguntou para o grupo que estava em fila na máquina dizendo "Com licença, eu tenho cinco páginas. Eu posso usar a copiadora?", a taxa de sucesso caiu para 60%. Sem grandes surpresas. O que foi uma grande surpresa ocorreu quando a pessoa se aproximou do começo da fila um pouco depois e perguntou "Com licença, eu tenho cinco páginas. Eu posso usar a copiadora *porque* eu tenho de fazer essas cópias?". A taxa de sucesso rapidamente retornou aos 93%!

Respostas automáticas são baseadas na razão, ou pelo menos na aparência da razão. Pessoas precisam ter razões para tomarem decisões e justificar suas ações. O experimento de Langer mostrou que, até quando a razão não é mesmo uma razão, mas se *parece* com uma, é o suficiente para ativar uma resposta positiva. A palavra "porque" é usualmente seguida por uma informação e, para a maioria das pessoas, é forte o suficiente para colocar em movimento um padrão de resposta – neste caso, uma resposta "sim", mesmo na ausência de uma informação concreta. Isso é o mesmo que um aperto de mão. Quando alguém estende a mão direita em sua direção, você faz o mesmo sem pensar. Quando quer se conectar rapidamente, ofereça ao seu contato um "porque" e as chances de ser bem-sucedido serão maiores. Por exemplo, se está pretendendo fazer negócios com a empresa Q, e você tem um contato-chave lá, em vez de simplesmente dizer "Eu estou encantado em conhecê-lo", adicione "porque eu li muito sobre o seu trabalho pioneiro com XYZ...".

SEU CÉREBRO SÓ PROCESSA INFORMAÇÕES POSITIVAS

A linguagem do cérebro é feita de imagens, sons, sentimentos e, indo um pouco além, cheiros e sabores. O cérebro não consegue processar imagens negativas (*não* fazer algo, *não* ver algo); ele só consegue trabalhar com informações positivas. Então, esteja consciente para não plantar sugestões negativas na mente dos outros com as palavras que você escolher (tome cuidado com as duplas negativas!).

- Fale no positivo.
- Diga "Foi um prazer" em vez de "Sem problemas".
- Use as palavras "Ligue-me" em vez de "Não hesite em me ligar".

ESTILO DE EXPLICAÇÃO

Quando explicamos as nossas experiências para nós mesmos e para os outros, tendemos a usar padrões. Desenvolva conscientemente um estilo de explicação positiva e contamine os outros com a sua atitude positiva.

CAUSA E EFEITO

Dizer por que você está fazendo algo para as pessoas tem uma grande influência em como elas vão reagir a você. Pessoas tendem automaticamente a aceitar pedidos quando são informadas das razões. Continue lendo porque você vai aprender bastante.

5

Conecte-se com os sentidos

Carl Jung observou que seus pacientes tinham diferentes jeitos de comunicar as suas experiências – alguns se expressavam por meio de figuras, outros diziam como as coisas soavam para eles e outros diziam como sentiam as coisas.

Nos meados dos anos 1970, eu voei para Miami para fazer parte de um ensaio fotográfico de cruzeiros para uma nova campanha publicitária. A agência me disse: "Nós sabemos que todo mundo quer comida boa e ar fresco quando sai de férias; isso é certo. Mas a nossa pesquisa também nos mostrou que as pessoas têm preferências sensoriais. Algumas escolhem férias primariamente pela beleza do lugar; outras para se refugiarem em algum lugar confortável, com atividades; e ainda há quem procure por paz e tranquilidade. Nós sabemos que todos os três aspectos são críticos no processo de decisão, mas as escolhas finais vêm da satisfação da preferência sensorial da pessoa". Eles me disseram que as minhas fotos tinham de despertar o interesse nesses três grupos: nas pessoas que veem, nas que sentem e nas que escutam.

Dr. Jung estaria orgulhoso. O que o setor de propaganda da agência de cruzeiros sabia sobre se conectar é verdade para todos nós: pessoas diferentes decidem experimentar o mundo por sentidos diferentes. Se nós queremos convencê-los, temos de descobrir quais sentidos sobressaem para cada um.

Preferências sensoriais

No momento que chegamos à adolescência, passamos a favorecer um dos nossos três sentidos principais – visão, audição ou tato – na maneira como interpretamos o mundo. Obviamente, usamos todos os nossos sentidos, mas algumas pessoas dependem mais do visual, outras do auditivo ou do sinestésico (toque e outras sensações físicas). Inevitavelmente, nosso sentido dominante se torna a maneira principal que usamos para nos comunicar conosco e com os outros. Alguns pesquisadores estimam que 55% das pessoas são visuais, 30% são sinestésicas e 15% são auditivas. Outros veem essa divisão como 40%, 40% e 20%, respectivamente.

Obviamente a maneira mais efetiva de se comunicar é adaptar o seu estilo de comunicação ao da pessoa com quem você está falando. Com isso eu quero dizer que, se ela pensa em imagens, converse evocando imagens, ou ao menos converse sobre como as coisas se parecem (oferecendo descrições). Se a pessoa é auditiva, diga a elas como é o som das coisas. Caso ela seja mais sinestésica, preocupe-se com as sensações físicas, conversando sobre a sensação das coisas.

Digamos que eu sou um agente de viagens e alguém vem até a minha agência e diz "Eu quero sair de férias". Se eu consigo imediatamente descobrir que aquela pessoa é, digamos, sinestésica, eu diria: "O que você acha de um lugar onde a areia é macia, a água é quente e as camas são confortáveis?". Em outras palavras, eu diria a ela como *se sente* o lugar porque é assim que ela toma suas decisões (de maneira subconsciente, é claro).

Se eu descobrisse que a pessoa é auditiva, eu diria "Como isso lhe soa? Eu sei de um lugar onde você consegue ouvir todas as ondas e gaivotas, e é longe de todo o barulho da cidade". Já se ela fosse visual, eu mostraria uma foto, dizendo "Apenas olhe para isso".

Mas – você provavelmente está se perguntando – como saber para qual caminho levar o cliente no momento que ele entra pela porta? Aqui vão algumas dicas que você deve procurar no momento que o encontro acontece.

Pessoas visuais falam sobre como as coisas se parecem. Elas tendem a falar alto, rápido e direto ao ponto. Não conseguem entender o porquê de você não ver imediatamente o que elas veem. Elas querem *ver* provas das suas afirmações antes de tomar suas decisões. A respiração delas será rápida e no peito. Pessoas visuais se vestem para impressionar e, com frequência, mostram sua postura correta. Pessoas visuais querem contato visual quando conversam. Elas ficam ofendidas com falta de organização, bagunça e desordem.

Elas consistentemente se referem ao parecer das coisas: "Agora que já vimos todas as possibilidades, nós podemos focar o futuro", "Do meu ponto de vista, parece que agora já avistamos o nosso objetivo. Você vê o que quero dizer?". Como regra geral, olham para a esquerda ou direita quando querem imaginar algo. (Quando eu lhe pergunto qual é a cor da sua camiseta favorita, para onde os seus olhos vão?) Seus gestos são abertos, algumas vezes desenham uma figura no ar.

Pessoas auditivas falam sobre como as coisas soam. Elas normalmente têm jeito com as palavras e podem ser muito persuasivas, com voz macia e cativante. Elas tendem a ter um pensamento aventureiro. Falam um pouco mais devagar do que pessoas visuais, respirando pausadamente pela parte mais baixa do tronco.

Uma pessoa auditiva frequentemente será a que fará uma afirmação de bom gosto sobre a forma como se vestem. Uma pessoa auditiva pode virar levemente a cabeça para um lado quando estiver escutando. Ela, na verdade, está virando a orelha para você e tirando o foco dos olhos para concentrar no som do que você está dizendo.

Pessoas auditivas não se sentem atraídas por sons, barulhos e vozes desagradáveis.

Quando você escuta alguém que está constantemente referenciando o som das coisas – "Eu não gostei do tom de voz dele", "O que ele falou me soou familiar", "Eu estou apenas dizendo a minha opinião", "Ela ficou completamente com a língua presa", "Ela contou uma história incrível e recebeu muitos aplausos" –, você provavelmente encontrou uma pessoa auditiva.

Como regra geral, uma pessoa auditiva olha para os lados (olhando para as suas orelhas, essencialmente) quando procura algum som. (Aonde seus olhos vão quando eu pergunto se o hino nacional é mais bem cantado por um adulto que por uma criança?) Pessoas auditivas frequentemente olham para o lado quando estão falando, quebrando o contato visual para se concentrar em recuperar o som daquele arquivo mental. Seus gestos vão frequentemente acompanhando o ritmo das palavras e às vezes tocam o rosto, queixo ou orelhas enquanto falam.

Pessoas sinestésicas falam a respeito de como sentem as coisas. Elas tendem a ser sentimentais, fáceis de lidar e intuitivas, mesmo que às vezes sejam reservadas e cuidadosas. Se você está falando com alguém que tem corpo bem definido ou extremamente atlético, pode muito bem estar lidando com alguém sinestésico. Pessoas sinestésicas podem ser facilmente identificadas porque são empenhadas e obtêm satisfação em tocar e sentir. Seu guarda roupa tende a ser confortável e cheio de texturas interessantes, que primam por funcionalidade em vez de moda.

Algumas... pessoas... sinestésicas... são... conhecidas... por... falarem... extremamente... agonizantemente... devagar, ou colocar todos os tipos de detalhes que fazem as pessoas visuais e auditivas quererem gritar "Eu já entendi há dez minutos!". Elas possuem vozes mais graves e lentas que o restante. Pessoas sinestésicas tendem a ser orientadas pelos detalhes.

Sinestésicos favorecem uma linguagem física e do toque: "Eu

estou inclinado fortemente a tentar dar uma chance", "Nós temos alguns pontos fora de ordem, mas vamos endireitar a situação", "Eu vou tentar arrumar qualquer confusão", "Quando puder colocar o meu dedo em algo concreto, vou entrar em contato com ela e a direcionar para isso", "Vamos todos ficar frios, calmos e juntos". Quando buscam alguma sensação ou qualquer informação que esteja guardada, geralmente olham para baixo e para a direita. Sua respiração é regular e vem da barriga. Seus gestos são baixos e as mãos e braços estão quase sempre dobrados no peito ou abdome.

> Se você consegue descobrir qual sentido a pessoa favorece, você pode falar em termos que ela vai se conectar imediatamente – e os dois vão se beneficiar.

Não é necessário dizer que, se você consegue identificar com que tipo de pessoa sensorial você está lidando, está em um bom caminho para se conectar com ela. Porque se você está falando em termos mais significantes para ela, sua mensagem vai imediatamente fazer sentido.

Dicas dos olhos

Os olhos podem lhe dar dicas ainda mais valiosas de como a pessoa pensa. Como mencionado anteriormente, pessoas visuais tendem a olhar para cima, enquanto pessoas auditivas passam mais tempo olhando para o lado e pessoas sinestésicas olham para baixo. Isso porque cada um favorece um sentido para codificar e guardar informações gerais, assim como para expressá-las. Se você perguntasse "Como foi o show dos Stones?", uma pessoa visual pensaria primeiro em como foi visualmente, uma pessoa auditiva como soou e uma sinestésica como ela se sentiu. Mas as dicas dos olhos podem lhe dizer mais do que o tipo de pessoa com quem está lidando; também podem lhe dizer com *o que* você está lidando. Se a pessoa olha para cima ou para o lado e para a direita, provavelmente está construindo ou inventando a sua resposta. Quando olha para cima ou para o lado e para a esquerda, provavelmente está relembrando algo.

Harmonia pelo *design*: o coração do camaleão

Harmonia é a confiança mútua e o entendimento entre duas ou mais pessoas. Não é uma surpresa que pessoas visuais são ótimas para pessoas visuais, pessoas auditivas soam bem para pessoas auditivas, e sinestésicas inclinam-se para outras sinestésicas. Sempre há pessoas com as quais temos harmonia naturalmente e das quais nos tornamos amigos – porque compartilhamos os mesmos interesses e provavelmente as mesmas preferências sensoriais. Chamamos isso de *harmonia por acaso*. Mas, nos negócios, você não pode deixar a harmonia ser *por acaso*. Simplesmente não podemos entender ou esperar que vamos lidar com pessoas como nós. Sabemos, por experiência, que não funciona dessa maneira. Então, para todos os outros, existe a *harmonia por design*.

Se nós fizermos um esforço para criar confiança e entendimento mútuos – ao ajustar a nossa atitude, sincronizar a nossa linguagem corporal, características de voz, escolha das palavras às preferências sensoriais daqueles com quem trabalhamos –, nós vamos estar em harmonia com eles, fechar negócios, atingir objetivos mútuos e iniciar projetos com mais facilidade.

EXERCÍCIO

Linguagem sensorial

À esquerda você encontrará a descrição de uma pessoa; à direita você encontrará algumas frases. Primeiro, determine qual pessoa é visual, auditiva ou sinestésica. Depois, veja se consegue encaixar cada pessoa com as frases.

Jill gerencia um bufê de sucesso. Ela começou sozinha e agora já tem 43 empregados. Confeiteira em treinamento, ela ainda gosta de arregaçar as mangas e dar uma mãozinha onde for preciso. Ela prefere roupas confortáveis e tem uma voz paciente e gentil.

Howard é um advogado prático. Ele lida com fatos e quer ver as evidências. Ele se veste bem e olha as pessoas nos olhos quando fala com elas. Ele espera o mesmo em troca.

Melissa pode encantar os pássaros para fora das árvores. Ela tem um jeito maravilhoso com as palavras. Está na política desde os seus vinte e poucos anos e tem muitos amigos. O seu estilo de vestir é flexível e sempre parece combinar com o tom da situação.

Todos nós temos pontos de vista diferentes.

Você consegue pegar o básico?

Isso parece uma ótima ideia.

Mostre-me como você fez.

Eu te escuto alto e claro.

Eu vejo o que você está falando.

Nós estamos contra a parede.

Você pode trazer uma luz a este problema?

Esse nome me soa familiar.

Eu não consigo colocar o dedo em nada concreto.

Você está afinado com o que ela está falando?

Vamos explorar um pouco mais a fundo.

Veja as respostas na página seguinte.

PREFERÊNCIAS SENSORIAIS

A maneira mais efetiva de você transferir informação para outras pessoas é adaptando o seu estilo de comunicação para combinar com os dela. Pessoas geralmente fazem parte de uma destas três categorias:

- **Visual**. Diga ou mostre como parece. Pessoas visuais precisam ver figuras e fazer imagens das suas experiências.
- **Auditiva**. Diga ou mostre como soa. Pessoas auditivas precisam escutar sons e verbalizam suas experiências.
- **Sinestésica**. Diga ou mostre a sensação de algo. Pessoas sinestésicas se comunicam expressando as sensações físicas.

HARMONIA POR *DESIGN*

Estabeleça harmonia com os outros sincronizando a sua linguagem corporal, características de voz, escolha de palavras e preferência sensorial.

Resposta do exercício de linguagem sensorial

Jill é sinestésica, Howard é visual e Melissa é auditiva.

Jill provavelmente diria:
Você consegue pegar o básico?
Nós estamos contra a parede.
Eu não consigo colocar o dedo em nada concreto.
Vamos explorar um pouco mais a fundo.

Howard provavelmente diria:
Todos nós temos pontos de vista diferentes.
Mostre-me como você fez.

Eu vejo o que você está falando.
Você pode trazer uma luz a este problema?

Melissa provavelmente diria:
Isso parece uma ótima ideia.
Eu te escuto alto e claro.
Esse nome me soa familiar.
Você está afinado com o que ela está falando?

Parte 3
Em conexão com a personalidade

Uma vez que você se conectou com os instintos humanos básicos de uma pessoa e ela se sente confortável o suficiente para confiar em você, começa a segunda fase: conectar o seu mundo com o dela. Para conseguir isso, você precisa saber três coisas: como personalidades se conectam e reagem, a real natureza do seu negócio e o seu papel nele, e como preparar sua imagem da maneira que manifesta melhor sua personalidade e suas capacidades no mundo exterior, onde você contribui e vive.

Um negócio é feito a partir da passagem de ideias aos outros, de uma personalidade a outra. Aprender a identificar e a motivar os diferentes tipos de personalidade (incluindo a sua), vai torná-lo capaz de passar a sua mensagem da maneira mais efetiva possível. Pode soar estranho, mas é verdade: o dinheiro não é a causa do sucesso nos negócios (ainda que seja um dos seus efeitos). Eu vou te mostrar como identificar o que te motiva e conectar essas coisas ao seu trabalho para que você possa sucintamente articular o que faz, como enxergar claramente o seu caminho e como ficar alegremente no rumo do sucesso inevitável.

Criar a imagem da sua personalidade para refletir o correto nível de autoridade e disponibilidade influencia na quantidade e qualidade de atenção que você tem dos outros. Aqui, você vai aprender como se sentir bem e ganhar vantagem competitiva.

Alimente a personalidade

Todo negócio é feito a partir do lançamento de boas ideias no mercado. Você pega uma boa ideia, transforma-a em uma grande ideia e leva isso às pessoas.

Em 1762, John Montagu, o conde de Sandwich, teve uma boa ideia. Ele era um grande apostador que não gostava de sair da mesa de apostas. Quando sentiu fome, pediu para um dos seus serviçais: "Traga-me um pedaço de carne entre duas fatias de pão". Daí nasceu o sanduíche.

Henry Heinz teve uma boa ideia: colocou um preparo de tomate em uma garrafa. Levi Strauss teve uma boa ideia: fez calças a partir de tecido de barracas de *camping*. Bill Gates teve uma boa ideia: colocou um computador em cada mesa. John Kimberly e Charles Clark tiveram uma boa ideia: um papel macio para limpar as mãos. Hoje você pode comer sanduíche com queijo enquanto liga o Windows, vestindo suas calças Levi's e limpando o ketchup das mãos com um lenço Kleenex. Essas boas ideias são suporte para grandes ideias, e vêm criando trabalhos para um número incontável de pessoas, como nós, e construindo considerável fortuna para seus organizadores. E isso tudo aconteceu graças a um batalhão de fazedores que apoiaram os sonhadores originais.

Sonhadores e fazedores

Existem quatro processos que constituem o núcleo do modelo de negócios: sonhar, analisar, induzir e controlar. Consequentemente, existem quatro tipos de personalidades que os negócios estão sempre procurando: sonhadores para ter a ideia; analisadores para ter certeza de que as ideias vão funcionar; indutores para persuadir essas ideias; e controladores para fazer com que as coisas sejam feitas. Muitos empreendedores de sucesso possuem algumas ou todas essas qualidades, enquanto outros entendem como necessário encontrar um parceiro para completar essa equação.

Sua personalidade afeta tanto sua escolha de trabalho como seu desempenho esperado. Quando podem escolher, pessoas vão normalmente escolher empregos que combinam com suas personalidades – uma pessoa extrovertida e sociável (indutora) tem mais chances de ter sucesso em vendas, enquanto uma pessoa cautelosa e orientada pelo processo (analisadora) tem mais chances de se sobressair em engenharia. Alguém que é assertivo e franco por natureza (controlador) vai tender a gerenciar outros, enquanto alguém que é menos assertivo, porém hábil em ver as coisas por diferentes ângulos (sonhador), vai se enquadrar melhor em uma carreira criativa.

Analisadores e controladores estão mais familiarizados quando seguem processos lógicos ou diretrizes, enquanto sonhadores e indutores contam com espontaneidade emocional e opções para funcionar no seu melhor. Analisadores e sonhadores tendem a ser mais reservados e introspectivos, enquanto controladores e indutores são, em geral, extrovertidos e assertivos.

As quatro personalidades nos negócios

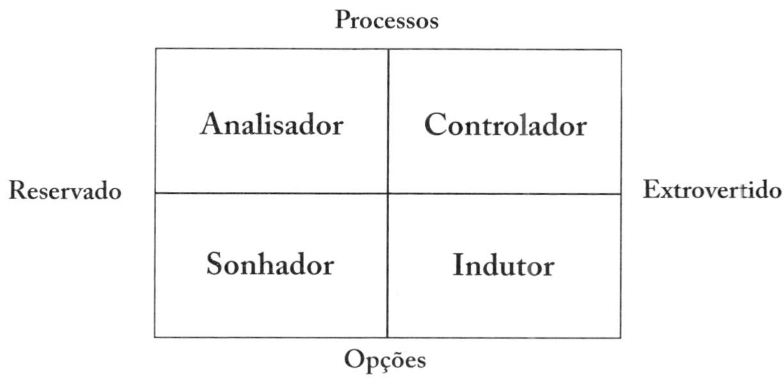

Como você pode identificar quem é quem? Um sonhador é um visionário que encontra opções e ideias no ar e dá foco a elas. Ele não desiste fácil – ele tenta e tenta mais uma vez. Conecte-se com ele no trabalho dando espaço para ele sonhar e respeite o seu espaço pessoal.

Os pontos fortes de um analisador vêm do fato dele ser orientado por detalhes e ser um pensador crítico. Um analisador é um preciso solucionador de problemas com uma forte motivação para concluir a tarefa. Para se conectar com ele no trabalho, preste atenção aos detalhes, seja bem organizado e mantenha-se focado nos fatos.

Um indutor tem como melhores características ser extrovertido e otimista e, por entreter bem, é um comunicador persuasivo. Ele anseia por apreciação. Para se conectar com ele no trabalho, faça dele o centro das atenções, interaja com entusiasmo e aprecie sua espontaneidade. Escreva detalhes em um papel ou ele poderá se perder.

Um controlador é um competidor destemido, orientado por resultados, direto e autoconfiante. Ele é impulsionado por um desejo primordial de completar o trabalho. Para se conectar com ele no trabalho, ofereça opções e alternativas. Oculte o que você quer e foque nelas. Deixe-o saber que você entende e aprecia o que ele faz de melhor e, acima de tudo, não desperdice o tempo dele.

Também há um lado negativo para cada um desses tipos. Um sonhador sem sonhos pode se tornar um excêntrico. Um analisador sem um projeto substancial pode se tornar um reclamão. Um indutor que não pode persuadir se torna um estorvo. Um controlador que não pode mais controlar pode se tornar um déspota.

Para ser eficaz, cada um desses tipos precisa estar ciente não somente de seus pontos fortes, mas também de suas fraquezas. Quando estão cientes – e quando conseguem encontrar um parceiro que compense suas fraquezas e deficiências –, boas coisas podem acontecer. Por exemplo, vamos analisar um bom par: uma analisadora/controladora chamada Raquel e um sonhador/indutor chamado Sam. Juntos, eles realizaram um sonho.

Alguns anos atrás, Sam e Raquel estavam andando pela orla de sua cidade e Sam viu uma placa de "Aluga-se" na janela de uma loja.

– Você sabe do que esse lugar precisa? De um ótimo restaurante de frutos do mar – Sam falou para Raquel.

– Você está certo – Raquel concordou, e a mente dela começou a trabalhar.

Ela pensou sobre os outros restaurantes naquela área. Existiria movimento o suficiente fora da estação? Quão confiáveis eram os fornecedores locais? Depois que ela tomou nota de todos os obstáculos que percebeu, ela iniciou um plano de negócios e juntos foram ao gerente do banco local para persuadi-lo a dar-lhes um empréstimo de US$ 45 000.

Sam foi o que mais falou e o gerente do banco estava convencido. Mas impôs uma condição. Ele olhou diretamente para Raquel e falou "Eu faço o empréstimo se você tomar conta do negócio".

Foi Sam quem teve a ideia original e foi ele quem convenceu o gerente. Mas o gerente havia escutado com atenção cada vez que Raquel descreveu sua análise de potencial para o restaurante e os possíveis desafios. Não demorou muito para que percebesse quem era o melhor controlador.

Raquel era organizada, orientada por detalhes e realista (como ele), e ele gostou de como, da melhor maneira possível, ela conteve a impetuosidade natural de Sam. Se Sam e Raquel entendessem seus papéis, as chances do negócio ser um sucesso seriam grandes. Mas se Raquel cuidasse da parte criativa ou Sam se tornasse o analisador, o casal fracassaria.

Tão importante quanto entender as personalidades do seu pessoal, colegas e chefes, é entender a si mesmo. Sua personalidade dá forma à maneira como você expõe e apresenta suas ideias aos outros, então primeiro você precisa entender quem você é e como se conectar. Veja este controlador, que conseguiu entrar na mente de uma série de sonhadores e entendeu como ajudá-los a completar seus trabalhos.

Steve Erickson é dono de uma empresa de *design* de embalagens. O pessoal criativo da empresa parecia estar com um bloqueio coletivo: o trabalho que vem sendo produzido nesse departamento está abaixo das expectativas. Ele sabe que vem colocando muita pressão neles, mas não consegue facilmente entender por que isso faria uma diferença.

"Todos estão sob pressão esses dias", ele me disse. "Meu instinto é de ser rígido com eles, de dizer como o trabalho não vem sendo satisfatório, de dizer que eles são pagos para fazer um ótimo trabalho e não menos do que isso. Há alguns anos eu os teria chamado para uma sala de reunião e falado: 'Aqui está o que eu preciso no próximo trimestre e espero que o resultado seja bom ou todos serão demitidos'". Mas Steve já tinha aprendido que essa abordagem não funcionava.

Eu conheci Steve em um dos meus seminários quando ele levantou a mão durante uma discussão de sonhadores. Ele havia levantado questões muito perceptivas e, no final do dia, nós nos encontramos por alguns minutos e conversamos sobre como motivar a equipe criativa dele.

"Seus funcionários são sonhadores profissionais e você é um controlador", eu disse a ele. Eu não disse especificamente como lidar com eles, mas lhe falei como atingir a imaginação de um sonhador. Expliquei que a maneira como as coisas parecem, soam, cheiram e até mesmo como são sentidas é essencial para a produtividade daquela equipe, e aquele constante fluido de novas experiências e estímulos é essencial para o processo criativo. Ele admitiu que os estímulos atuais obviamente não estavam funcionando. Ainda que o instinto dele fosse de ser rígido com a equipe, ele entendeu que pressioná-la funcionaria totalmente ao contrário. Em vez disso, ele decidiu trabalhar o KFC: descobriu o que ele queria, positivamente, e encontrou uma forma de conseguir.

Mais tarde, escutei do Steve que ele causou certo tumulto em sua companhia quando decidiu levar seus funcionários para um retiro, fora da empresa, para tentar inspirar a criatividade deles. Alguns dos executivos pensaram que ele os estava recompensando por um desempenho ruim.

"Levá-los para um hotel cinco estrelas quando eles não nos têm dado o que precisamos? Você deve estar louco", o vice-presidente de finanças falou para ele. Mas isso foi exatamente o que Steve fez e o que ele conseguiu atingir foi exatamente o que a companhia precisava.

A solução em curto prazo era levar o departamento para longe em um final de semana de atividades em um antigo e luxuoso hotel nas montanhas de Adirondack (EUA). Uma vez que todos estavam fora do escritório e em contato com os tipos de estímulos corretos, eles produziram mais naquele final de semana trabalhando no projeto mais estressante que já tinham trabalhado do que haviam feito no último mês. E a energia que acumularam voltou com eles para o escritório. A solução em médio prazo era redecorar os escritórios com portas vai e vem vermelhas e brilhantes, que combinassem com o carpete vermelho, e plantar uma árvore de 5 metros do lado de fora perto da janela. Se eles fossem um grupo de analisadores, essa não teria sido a decisão correta, mas para os sonhadores de Steve isso funcionou perfeitamente.

Quando personalidades colidem

Olhe à sua volta no escritório. Há alguém com quem você particularmente não se dá muito bem? Qual o tipo de personalidade dele ou dela? E qual o seu tipo? Se você responder a essas perguntas, pode ser que consiga resolver o impasse. Quando duas pessoas não sabem por que estão se estranhando ou não entendem com quem estão lidando, a quebra na comunicação pode ser rápida e duradoura.

John Stevenson é um gerente regional de vendas da Acme Corp. Ele está se encontrando pela primeira vez com a nova responsável por vendas no distrito a oeste do dele. Ele descobriu que os dois estariam passando pelo aeroporto de O'Hare no mesmo horário e decidiram se encontrar durante a escala. John quer comparar notas e repassar os novos formulários de pedido que havia ajudado a desenvolver.

> Você tem um colega de trabalho com quem particularmente não se dá muito bem? Qual o seu tipo de personalidade? E qual o tipo dele? Saber disso pode ajudá-lo a resolver esse impasse.

John é membro do clube executivo da companhia aérea e seu voo estava marcado para chegar 45 minutos antes do voo de Sandy, então marcou de encontrá-la lá. Ele é um homem sensato que veste roupas sensatas.

"John Stevenson?" Ele olhou por cima da cópia de Fortune que ele vinha estudando para ver à sua frente uma animada e sorridente mulher em um terno amarelo-canário, carregando duas malas de ombro e uma maleta, para o caso de ter que cumprimentar com um aperto de mão.

– Sandy?

– Sim. – Ela acenou com a cabeça vigorosamente.

– Por favor, sente-se. Eu pensei que você tinha dito que não era membro. Eu ia...

– Ah, eu não sou, mas conversei com algumas pessoas que me mostraram onde você estava sentado, ou pelo menos quem eles achavam que você era. Então, eu disse que viria perguntar e, se não fosse você, eu simplesmente voltaria e esperaria. Eles estavam muito ocupados lá fora. E agora aqui estamos nós. – Ela conseguiu arrumar suas malas e se sentar sem perder o ritmo.

– Sim, claro. Você quer tomar algo? – quando ela disse que sim, John andou até o bar e voltou com um refrigerante.

– Nós não temos muito tempo – ele disse, olhando para o relógio. – Mais ou menos 22 minutos, para ser preciso, então, se você não se importar, eu gostaria de lhe mostrar algo.

Sandy não estava preparada para um início tão rápido. John pegou duas folhas de papel impressas de uma pilha que havia organizado na mesa antes dela chegar e os empurrou para a mão dela. Sandy queria conversar, mas, ao invés disso, sentou-se ali interagindo com papéis. Ela normalmente era tranquila, mas esse cara estava começando a tirá-la do sério.

– Espere um segundo. O que eu deveria estar olhando? O que eu devo procurar?

– Eu escrevi tudo para você por e-mail – John falou, demonstrando sua irritação no rosto e na voz.

Tempo passado até agora? Menos de noventa segundos, e o relacionamento dos dois já teve um mau começo. Você sabe onde colocar esses dois na tabela de personalidades? Quais são as suas forças e fraquezas? O que motiva Sandy? O que motiva John?

Essa é uma clássica ocasião em que se perde uma oportunidade. John é um analisador – preciso e focado. Sandy é uma indutora – envolvida em si mesma e bastante falante. John poderia ter uma boa conversa com ela se demonstrasse apreço à sua engenhosidade de encontrá-lo e sincronizando-se com seu ar de liberdade. Sandy poderia ter elogiado John por haver marcado a reunião e se sincronizado com o seu senso de organização. Mas, como aconteceu, um possível momento de cooperação e de formar uma equipe foi perdido. Na verdade, os dois irão se lembrar desse encontro e provavelmente sempre vai existir um momento de embaraço que pode impedi-los de desenvolver um forte relacionamento.

EXERCÍCIO

Quem está falando?

O camaleão dos negócios se adapta e alimenta os tipos de personalidade dos seus clientes e colegas. Para fazer isso, ele deve primeiro entender seus tipos de personalidade, observando, perguntando e ouvindo. Ele está lidando com um sonhador, um analisador, um indutor ou um controlador? Uma vez que faz essa classificação, imediatamente sincroniza seu estilo com os deles.

Aqui estão as quatro diferentes respostas para a mesma questão. Descubra quem é o sonhador, o analisador, o indutor e o controlador. Tente imaginar o que você diria para se conectar com cada um deles e manter a conversa.

Pergunta: Como podemos cortar os custos exorbitantes no departamento de *design*?

Resposta 1: Talvez pudéssemos dirigir uma campanha independente de publicidade apontando o custo exorbitante desses deslizes.

Resposta 2: Faça alguém da contabilidade mostrar resultados mensuráveis em um prazo de noventa dias.

Resposta 3: Vamos descobrir quantos outros departamentos têm os mesmos problemas. Se olharmos os números, talvez exista algo que o *design* possa aprender com a produção ou com o setor de comunicação da empresa.

Resposta 4: Com todos os computadores e conexões de internet *wireless*, talvez pudéssemos desenhar um sistema de aviso que apareceria nas nossas telas.

Eu tenho certeza de que você entendeu que a questão foi respondida, em ordem, por um indutor, um controlador, um analista e, finalmente, um sonhador.

Espaço para melhorias

Uma chave para melhorar suas habilidades de comunicação é olhar para o lado impertinente da sua personalidade. Não estou dizendo que você deveria olhar para as suas fraquezas – pelo contrário. Olhe para as fraquezas inerentes a seus pontos fortes. Normalmente, não é a fraqueza que inibe a habilidade de se conectar, convencer e se divertir com os que estão ao seu redor, mas, na verdade, são *as fraquezas nos seus pontos fortes*. Por exemplo, algum desses problemas abaixo se aplica a você?

Sonhadores: A sua habilidade de ver a situação por diversos ângulos o torna indeciso? Poderia sua necessidade de espaço pessoal ou sua falta de preocupação com sua aparência pessoal causar nos outros uma primeira impressão errada? Às vezes você diz sim quando na verdade quer dizer não?

Analisadores: Você perde oportunidades gerais que aparecem no seu caminho por conta de seu perfeccionismo? Você é extremamente crítico? É possível que você afaste as pessoas por parecer reservado ou distante?

Indutores: Você é tão preocupado em ser divertido que tende a exagerar? Você fala tanto que isso tira a atenção do feedback útil? Você evita conflitos? Tem dificuldade em se manter focado?

Controladores: Você é tão seguro de si mesmo que está se tornando um péssimo ouvinte? A sua impaciência faz de você argumentador ou teimoso? Poderia essa tendência à impaciência estar diminuindo sua habilidade para processar feedback e fazer as conexões de que necessita?

> EXISTE UM PONTO FRACO EM TODO PONTO FORTE.

Às vezes, o que nos constrói também nos destrói. Ninguém é perfeito, claro, mas a crescente percepção desses aspectos em si mesmo que precisam ser trabalhados é um primeiro passo para a melhora. Então, enquanto você está se construindo em seus pontos fortes, reserve um tempo para reconhecer o lado oposto a eles e seu impacto em quem está ao seu redor. Tenha em mente também que, seja lá qual for o seu tipo de personalidade, ela está transmitindo uma quantidade tremenda de informações aos outros. Tome cuidado com o que você está passando.

Controladores: Você parece intimidador ou agressivo com as pessoas?

Analisadores: Deixa as pessoas pensarem que é superior e não amigável?

Indutores: Muitas das suas atitudes extravagantes parecem confundir as pessoas?

Sonhadores: As pessoas se perguntam se você está prestando atenção nelas?

Mesmo se estiver lidando com um cliente ou um colega que conhece há anos, uma vez que você entende o tipo de personalidade da pessoa, verá uma diferença na próxima vez que se conectarem.

TIPOS DE PERSONALIDADE

Existem quatro tipos básicos de personalidades que o mundo dos negócios está sempre procurando: sonhadores, para ter a ideia; analisadores, para ter certeza de que as ideias vão funcionar; indutores, para valorizar essas ideias; e controladores, para fazer com que as coisas sejam colocadas em prática. A maior parte das pessoas tem uma combinação desses talentos, mas, normalmente, um é o dominante. Aqui está como conectar-se com cada tipo:

> O camaleão dos negócios se adapta aos tipos de personalidade dos seus clientes e colegas e os desenvolve.

- **Sonhador:** Dê espaço e estímulo para seus sonhos. Respeite o espaço pessoal dele. Fale em opções.
- **Analisador:** Preste atenção nos detalhes, seja bem organizado e atenha-se aos fatos.
- **Indutor:** Responda com entusiasmo e aprécie sua espontaneidade. Ponha detalhes no papel.
- **Controlador:** Dê alternativas e opções (então tente direcioná-lo ao resultado que você quer). Reconheça suas qualidades e não perca seu tempo.

AS FRAQUEZAS NOS SEUS PONTOS FORTES

Examine as fraquezas inerentes a seus pontos fortes para melhorar suas habilidades de comunicação.

- **Sonhador:** Você é indeciso? Passa uma primeira impressão errada para os outros? Às vezes diz sim quando na verdade quer dizer não? Ou não quando quer dizer sim?
- **Analisador:** Você perde grandes oportunidades? É extremamente crítico? Parece reservado ou distante?
- **Indutor:** Você exagera ou fala demais? Evita conflitos? Tem dificuldade em se manter focado?
- **Controlador:** Você é argumentador ou teimoso? O quão bem processa um feedback?

7

Saiba a natureza do seu negócio

Apesar do que lhe foi ensinado, dinheiro não é o motivador que você pode oferecer a uma pessoa. Claro, todos nós temos necessidades que o dinheiro pode comprar – comida, moradia, transporte e segurança –, mas o que mais motiva as pessoas a irem além de suas obrigações no escritório é a chance de trabalhar em algo que acreditam que seja importante. Sentir que o trabalho é importante – para a sua empresa, para a sua equipe ou para a sua comunidade – faz com que crenças e valores realmente tomem vida. Isso o faz ter experiências de valor, utilidade e propósito, tornando-o hábil a convencer a segunda natureza dos outros.

Empresas inteligentes reconhecem a importância de tocar os valores de seus empregados, de fazer um trabalho significativo. Uma das maneiras de fazer isso é criar uma missão. Algumas vão além e refinam a sua missão ao que eu chamo de grande ideia. Uma *grande ideia* cuidadosamente trabalhada pode, de maneira simples e memorável, explicar por que a organização existe e a diferença que ela faz. Pode dar personalidade à companhia. A eficácia de uma missão pode ser medida quando todos os funcionários a usam como referência e instantaneamente perguntam e respondem à questão: "Eu estou trabalhando de acordo com a missão agora, ou não?".

Por exemplo, a grande ideia dos hotéis Marriott é "Nós fazemos as pessoas que estão longe de casa se sentirem entre amigos". É brilhante e fácil de lembrar. Qualquer pessoa – desde o chefe de relações públicas até o recepcionista, as camareiras e o confeiteiro na cozinha – pode se perguntar "Eu estou trabalhando de acordo com a missão agora, ou não?". Se a resposta for sim, a companhia está no caminho certo. Se não, está na hora de mudar. Esse é o efeito fortalecedor de uma grande ideia bem pensada – faz com que cada empregado seja um acionista na missão da companhia e lhe dá poder para monitorar e manter essa missão. Charles Revson afirmou perfeitamente: "Na Revlon, nós fazemos cosméticos; na farmácia, nós vendemos esperança".

Aqui estão algumas outras grandes ideias que simplesmente e efetivamente incorporam os objetivos indiretos das empresas:

Wal-Mart: Oferecemos a chance de pessoas normais comprarem as mesmas coisas que as pessoas ricas.

Mary Kay Cosmetics: Damos oportunidades ilimitadas para as mulheres.

Merck: Preservamos e melhoramos a vida humana.

Coca-Cola: Refrescamos o mundo.

3M: Solucionamos problemas não resolvidos de maneira inovadora.

Walt Disney: Fazemos as pessoas felizes.

Nenhuma dessas grandes ideias refere-se diretamente a um produto ou serviço. Elas se referem ao que a companhia faz. Não é difícil imaginar que uma representante de vendas da Merck sinta que pode pressionar um pouco mais forte em uma venda quando sabe que o objetivo da empresa é preservar e melhorar a vida humana. Qualquer empregado das empresas mencionadas pode se perguntar "Eu estou fazendo isso agora ou não?" e chegar a uma resposta rápida. Você acha que perguntar e responder afeta o resultado final? Você pode apostar que sim.

Se aproximando da sua grande ideia

Eu fiz parte de um retiro de fim de semana na Pensilvânia de uma franquia nacional de restaurantes, que tinha como objetivo melhorar como todos se conectavam com os clientes. Quando começamos o processo, a missão da empresa dizia "Nós estamos aqui para dar aos nossos consumidores o melhor blá-blá-blá e fazer com cortesia blá-blá-blá e nos manter firmes blá-blá-blá enquanto lembramos que blá-blá-blá". Ninguém conseguia lembrar a mensagem toda, muito menos dizer o que ela significava. Eu tinha o meu trabalho muito claro.

Uma grande ideia surge da descoberta da verdadeira natureza do seu negócio. Uma maneira de ajudar as empresas a fazer isso é provocando os indivíduos responsáveis, um por um e um a um. Trata-se apenas de um jeito bonito de dizer que nós descobrimos o que é importante para eles – não é algo óbvio como premiar os acionistas ou oferecer serviços de ponta aos seus clientes ou proporcionar banheiros limpos. O que nós temos de obter são valores e crenças mais fundamentais.

Para começar esse processo com a franquia de restaurantes, eu perguntei para cada diretor da companhia "O que é importante para você no seu restaurante?" (a pergunta inicial sempre busca os aspectos mais básicos do negócio). Eles começaram a listar coisas e eu escrevia cada uma delas em uma lousa. Toda vez que havia silêncio eu perguntava "O que mais?", até que finalmente diziam "É isso". A única coisa que eu fazia de especial era usar a minha voz, linguagem corporal e escolha de palavras para indicar que eu estava engajado, animado e curioso sobre onde isso nos iria levar. Aqui está uma abreviação:

> A GRANDE IDEIA DE UMA EMPRESA DEVE SE REFERIR A CADA UM DE SEUS FUNCIONÁRIOS.

Eu: "O que é importante para você no seu restaurante?"

Ele: "Ótima comida, um preço bom, um serviço magnífico, pessoal amigável..."

Uma vez que terminaram as suas listas, mergulhei cada vez mais fundo em cada um dos pontos indicados – comida, preço, serviço e pessoal amigável – procurando por padrões.

Eu: "O que é importante para você no que diz respeito à ótima comida?"

Ele: "Faz com que me sinta bem quando eu como e me dá tempo para refletir, então me sinto agradecido, aprecio a textura..." E por aí vai.

Eu: "O que é importante para você no que diz respeito a um preço bom?"

Ele: "Eu gosto de qualidade a um bom preço."

Eu: "O que mais?"

Ele: "Eu gosto de fazer negócios com pessoas em quem confio..."

Então eu fazia com que eles cavassem ainda mais fundo, discutindo cada um desses pontos indicados – sentir-se bem, tempo para refletir, qualidade, pessoas em quem confiar. Eventualmente, nós descobrimos que apenas uma ou outra coisa estava na raiz das crenças e valores desses tomadores de decisão. Esse processo levou de vinte a trinta minutos e foi repetido com todos os outros líderes.

No meio da tarde, reunimos todo mundo e mostramos a lista editada e agregada. Ela incluía coisas como: "Se eu tiver de esperar na fila, deve valer a pena", "Eu gosto de restaurantes quando sei que eles realmente se importam com a comida", "Eu gosto de me sentir importante", "A comida deve ter um cheiro convidativo".

No final do dia, nós tínhamos uma grande ideia que inspirava todo mundo e era tão impressionantemente simples que poderia ativar o mantra instantâneo "Eu estou fazendo isso agora ou não?". Era o seguinte: "Nós fazemos pessoas com fome se sentirem importantes".

Uma frase como essa é frequentemente banal, óbvia e quase sem significado quando vista de fora da empresa ou pela corporação que a desenvolveu. Mas quando você "carrega" uma dessas grandes ideias

A GRANDE IDEIA DEVE SER CURTA E PRAZEROSA E DEVE ATIVAR INSTANTANEAMENTE O MANTRA "EU ESTOU FAZENDO ISSO AGORA OU NÃO".

banais com tijolos, argamassa, empregados e comida, e olha de dentro, isso é algo grande. É algo que pode mudar comportamentos, atitudes, percepções e o objetivo principal.

"Nós fazemos pessoas com fome se sentirem importantes" é memorável? Captura o espírito da organização e direciona todo mundo para o mesmo objetivo? É versátil? Permite expansões? Sim para todas as questões. A empresa imediatamente mandou confeccionar placas que seriam grudadas em cada caixa registradora de todas as suas lojas. Isso era um lembrete constante para todo mundo se manter no eixo, se perguntando sempre "Eu estou fazendo isso agora ou não?".

Tornando-se pessoal

Assim como definir a grande ideia de uma empresa pode ajudar os seus empregados a ficarem focados e na linha, definir a sua grande ideia pessoal para o que você especificamente contribui no seu trabalho pode dar à sua vida profissional mais significado e direção.

Algumas vezes, na batalha do dia a dia, nós desvalorizamos o nosso trabalho. Nós nos focamos nos hábitos e nas rotinas do que há de menos glamoroso sobre o nosso trabalho, e perdemos de vista como nos conectamos com o contexto geral. Mas todo mundo tem um efeito no modo como o mundo gira. Investigue e reconheça o valor e o significado da sua contribuição – e você irá perceber que é cada vez mais fácil se conectar e convencer as pessoas. *O seu trabalho tem valor, não importa o quão insignificante ele pareça a você.*

Uma pessoa que tomou para si uma grande ideia pessoal no trabalho foi Pat Sullivan, que trabalhava na divisão de exportação no Departamento de Comércio de Ontário. Pat achou uma frase que resumia o que faz e o deixa orgulhoso; também facilita quando ele se conecta com as pessoas. Pat me disse o seguinte: "Quando eu articulava como fazia uma contribuição significativa, as coisas pareciam cair aos pedaços. Agora eu sei por que saio da cama de manhã". Hoje, Pat sente que faz parte de algo maior do que ele. Está motivado – não por um galho ou uma cenoura, mas pelo senso de pertencer. Seus valores estão vivos.

Antes de Pat achar a sua grande ideia, frequentemente quase se encontrava pedindo desculpas pelo seu departamento. Ele sentia que ninguém o levava a sério, bem como não levavam a sério sua unidade no departamento. Parecia que poucas pessoas dos negócios realmente entendiam o que seu departamento estava fazendo e como eles impactavam a indústria. Pat tinha dificuldade em dizer a qualquer um como fazia a diferença na vida das pessoas.

Pat via a si mesmo e a seu departamento como um recurso valioso na indústria, mas o trabalho dele e o de seus companheiros parecia nunca ser reconhecido, e isso significava que nunca parecia emocionante. Era difícil aumentar o seu entusiasmo para corresponder ao dos empreendedores e donos de pequenos negócios que ele auxiliava.

Recentemente, no entanto, nós nos reunimos para falar sobre o problema. Ele explicou que quando seus clientes se deparavam com um jargão complexo como "Por meio de nossas parcerias nas embaixadas, consulados e departamentos turísticos no exterior, somos capazes de identificar oportunidades de mercado e em alguns casos blá-blá-blá", a resposta padrão era turva.

Depois de uma manhã de compartilhamento de ideias e passando pelo processo de refinamento que expliquei anteriormente, ele reduziu o que faz da vida a uma grande ideia simples e pessoal. Pat tinha uma longa fascinação por resolver enigmas; uma vez que conseguiu ver o seu trabalho sob essa perspectiva, a sua grande ideia pessoal se tornou "Eu resolvo grandes enigmas dos negócios". Agora Pat tem um senso de direção, ele sabe como

> O SEU TRABALHO TEM VALOR, NÃO IMPORTA O QUÃO INSIGNIFICANTE ELE PAREÇA A VOCÊ.

distinguir e demonstrar a força do seu departamento, sabe oferecer a promessa da descoberta de coisas novas e, quando se pergunta "Eu estou fazendo isso agora ou não?", sempre consegue responder um sonoro sim.

Crie sua grande ideia

Encontre um lugar no qual você não vai ser perturbado, pegue papel e caneta e se aqueça fazendo algumas perguntas a si mesmo: "Qual é o resultado final do meu trabalho? Por que a minha empresa/emprego/trabalho/carreira existe? Que diferença eu pretendo fazer? Qual é a grande ideia por trás do meu negócio?". Coloque meia dúzia de palavras para montar uma imagem de você daqui a dez anos, depois vinte. Agora você está pronto para começar.

Você vai fazer o mesmo exercício que a franquia de restaurantes fez, com a pergunta: "O que é importante para mim...?". Comece perguntando "O que é importante para mim no meu trabalho?". Extraia as suas palavras, tome nota dos pontos indicados, e, então, use-os para ir ao próximo nível. Continue indo até descobrir os seus valores essenciais e as coisas que o motivam.

Em seguida, liste dez dons e talentos naturais – coisas que sente serem verdadeiras sobre você desde que era criança (imagine que está em um programa de auditório em que ganha mil reais para cada um que você listar).

Viva com a sua lista por algumas horas ou até mesmo por alguns dias – o tempo necessário até que uma luz acenda na sua cabeça e você diga "É claro! É muito óbvio". Com orientação, isso pode ser feito rapidamente – se for feito sozinho, leva um pouco mais de tempo; então não tenha pressa. Seu cérebro está ocupado reorganizando os móveis.

Traduza a sua grande ideia em um comercial de dez segundos

A sua grande ideia pessoal é o que você diz a si mesmo; o seu comercial de dez segundos é o que você diz aos outros. Quando questionado sobre o que faz, Pat Sullivan, por exemplo, não poderia sair dizendo "Eu resolvo grandes enigmas dos negócios". As pessoas achariam que ele está sendo bobo, recatado ou até pior. Ele pode dizer: "Eu ajudo exportadores a achar novos mercados, enviar os produtos a tempo e ter uma boa noite de sono". A ideia por trás do comercial de dez segundos é que, uma vez que você fala, a outra pessoa fica tão intrigada que precisa dizer: "Conte-me mais". É um convite para conversar e se conectar rapidamente.

Ano passado eu aceitei um trabalho em Paris. Pensei que estava indo ajudar uma locadora de carros a desenvolver uma grande ideia. Mas o que eu descobri foi uma empresa que precisava de algo para a tropa da linha de frente – um comercial de dez segundos.

Percebi isso quando falei com Andrew Harrison, que dirigia a divisão especializada em locações internacionais. Pegue um carro, digamos em Lisboa, e você pode entregá-lo em Amsterdã – ou em qualquer lugar da Europa ocidental. Dois anos atrás, a empresa havia trazido uma consultora para desenvolver a sua missão. Depois de ter analisado os negócios, conversado com os gerentes e funcionários e feito muita pesquisa, ela a elaborou. A missão – a qual eles tinham imprimido e postado em cada agência ao redor do mundo – dizia: "Nós somos dedicados a fornecer o melhor valor em todos os produtos e serviços que fornecemos aos nossos valiosos clientes. Nossas taxas, serviços e qualidade dos produtos são – e permanecerão – os melhores".

Andrew resumiu alto e claro: "Como isso me ajuda a comunicar quem somos e por que somos especiais? Eu quero saber que, se encontrar o presidente do Club Med em um bar, posso me aproximar dele e – *bang* – dizer-lhe o que eu faço, para quem faço e como faço a vida deles melhor. Curto, rápido e claro – tudo que essa frase não é".

Você já viu um comercial de trinta segundos na TV. É tão longo que você pode se levantar, ir até a geladeira, deixar o cachorro sair, colocar outro pedaço de madeira na lareira e ver o seu cabelo no espelho antes dele acabar.

Andrew queria uma explicação clara e significativa do que realmente faz, como faz a diferença, quem ajuda e como faz o mundo girar – e ele precisava que isso tomasse o menor tempo possível dos noventa segundos da sua primeira impressão.

EXERCÍCIO

O seu comercial de dez segundos

Crie uma frase curta que resuma o que você faz, para quem faz e como faz a vida deles mais fácil, melhor e mais divertida. Inclua os benefícios que você oferece aos clientes.

Qual a sua especialidade? O que você entrega? O que os seus clientes imaginam que você entende e entrega? Se é responsável por um restaurante glamoroso, do seu ponto de vista, você entende de comida, serviços e decoração. Mas os seus clientes podem achar que você entende de romance. Agora, estamos falando sobre imaginação e emoções.

Pergunte-se: Que diferença eu faço? Liste o que é importante para os seus clientes. O que eles querem? O que faço por eles?

O seu comercial de dez segundos tem três partes:

1. O que você faz.
2. Para quem você faz.
3. Como faz a vida deles ser mais fácil.

É chamado de comercial de dez segundos porque você deveria ser capaz de dizer em dez segundos. Mantenha-o curto e direto ao ponto. Continue trabalhando até que tenha certeza de que todos para quem você contar dirão: "Eu gostaria de saber mais".

Isso é exatamente o que um comercial de dez segundos consegue fazer. Ele pode ser usado para fazer conexões em uma festa de gala, uma convenção, um almoço de negócios ou em um elevador. Um comercial de dez segundos diz aos outros o que você pode oferecer. *Não* é uma venda; é uma abordagem, uma miniapresentação habilmente desenvolvida com um gancho e um ponto, mas sem a pressão do comprar.

Eu perguntei a Andrew e seus colegas:

– Do que essa empresa entende?

As respostas foram rápidas e diretas:

– Que tal estradas europeias, para começar? – disse um.

– Hotéis e restaurantes pelo caminho? – disse a mulher à sua esquerda.

– Flexibilidade? – outro ofereceu.

– Liberdade – disse Andrew – a liberdade da estrada, tomando o seu tempo.

Nós estávamos no caminho certo. Segurança, tempo, alfândega e cruzar fronteiras vieram em seguida.

– Esperem! – interrompi, apontando as palavras e frases no quadro branco. – Agora, aqui está um pensamento: flexibilidade e liberdade... 24 horas por dia. Que tal um comercial de dez segundos que diz: "Nós damos aos viajantes liberdade para explorar a Europa 24 horas por dia?".

Como todo bom comercial de dez segundos, havia espaço para adaptações em diferentes circunstâncias. Sugestões apareceram de todos os lados da mesa:

– Em um evento para noivas nós poderíamos dizer: "Damos aos viajantes liberdade para explorar a Europa seguindo os seus corações". A uma agência de viagens: "Damos aos viajantes a liberdade de se movimentar pela Europa 24 horas por dia".

Existia um grande entusiasmo no ar – um sinal claro de que estávamos chegando a algum lugar.

O SEU COMERCIAL DE DEZ SEGUNDOS DEVE COMUNICAR IMEDIATAMENTE O QUE VOCÊ FAZ E O SEU VALOR DISSO PARA OS OUTROS.

EXERCÍCIO

A "abordagem de *pub*"

O que você diria se visse o cliente dos seus sonhos sentado em um bar e tivesse apenas alguns segundos, enquanto pede a sua bebida, para entregar a sua mensagem – para dizer o que faz, para quem faz e como faz a sua vida melhor?

Eu gastei muito tempo nos *pubs* no final dos anos 1960 vendo Francis Xavier Muldoon transmitir a sua mensagem de forma rápida, memorável e sucinta, em situações formais e informais. Ele chamava o que fazia de "abordagem de *pub*", adicionando que frequentemente a usava quando alguém lhe perguntava o que fazia da vida. "O truque", ele dizia, "é fazer com que a outra pessoa diga 'sim' antes de falar com ela."

Vamos considerar o comercial de dez segundos de Pat para a sua empresa: "Eu ajudo exportadores a achar novos mercados, enviar os seus produtos a tempo e ter uma boa noite de sono".

Aqui está a "abordagem de *pub*" para a propaganda da mesma empresa:

– Você sabe como a maior parte dos exportadores sempre está procurando novos mercados?

– Sim.

– Então, eu os ajudo a achar esses mercados, enviar seus produtos a tempo e a ter uma boa noite de sono.

Aqui está a fórmula e como eu a aplico para mim mesmo e ao meu negócio:

Você sabe como... (companhias/pessoas/corretores...)
Você sabe como algumas pessoas têm problemas de se conectar com outras?

Então nós/eu...
Então, eu escrevo livros e dou palestras para mostrar-lhes como fazer isso de forma natural e fácil...

Para que eles...
Para que eles possam se divertir e conseguir mais na vida.

Pegue o seu comercial de dez segundos e faça uma "abordagem de *pub*". Pratique essa conversa várias vezes até você se convencer. Então, guarde-a até que precise dela.

Você pode fazer o mesmo, elaborando um comercial de dez segundos para a sua empresa. Comece se perguntando o que a sua empresa ou associação entende que os outros não. Minolta diz que entende de escritórios. Marriott diz que entende de amizade. Interflora entende de romance. Descubra o que a sua companhia entende melhor e então pergunte aos seus clientes o que eles acham que você entende.

A diferença entre um comercial de dez segundos e uma grande ideia é que um comercial não tem o componente "Eu estou fazendo isso agora ou não?". O que ele deve ter no lugar é a obrigação de ser irresistível, fazendo a outra pessoa perguntar "Como?" ou falar "Conte-me mais". Esse é o teste de um ótimo comercial de dez segundos.

Assim como uma boa ideia precisa de uma afirmação de grande ideia para dar foco, direção e personalidade à companhia ou organização, um comercial de dez segundos permite a você levar o seu negócio um estágio à frente – para as pessoas – de uma forma rápida, efetiva e estimulante. Desde um ponto de vista de levar a sua ideia ao mercado, primeiro vem uma boa ideia, depois uma grande ideia e finalmente um comercial de dez segundos.

> UM COMERCIAL DE DEZ SEGUNDOS DEVE FAZER OS OUTROS DIZEREM: "CONTE-ME MAIS".

A GRANDE IDEIA

Uma boa ideia se torna uma grande ideia com uma missão habilmente criada – uma explicação simples, curta e memorável do porquê a organização existe e qual diferença ela faz. A grande ideia:

- Pode dar personalidade à empresa. Deve ser memorável, capturar o espírito da organização e fazer todos caminharem na mesma direção.
- Não faz referência diretamente a produtos ou serviços, mas ao que a companhia faz. Ela surge da verdadeira natureza do seu negócio.
- Deve ativar instantaneamente o mantra "Eu estou fazendo isso agora ou não?". A grande ideia deve ser a primeira consideração para um empregado quando está tomando decisões com os clientes e colegas de trabalho.

A GRANDE IDEIA PESSOAL

Definir a sua própria grande ideia pode dar mais direção e significado a sua vida trabalhista. Essa frase transmite o valor e a essência do que você faz. Formule-a de uma maneira que faça sentido para você.

O COMERCIAL DE DEZ SEGUNDOS

Um comercial de dez segundos conta aos outros o valor do que você faz, de uma forma convidativa para a conversa. Uma vez que você o coloca em prática, a outra pessoa deve estar tão intrigada que diz "Conte-me mais", em vez de dizer "Grande coisa".

- Um comercial de dez segundos tem três partes: o que você faz, para quem faz e como faz a vida deles melhor.
- Mantenha o seu comercial de dez segundos curto e direto ao ponto.
- Para situações casuais, use a "abordagem de *pub*": o formato "Você sabe como...?/Então, eu.../Para que eles...".

8

Encontre o seu estilo

Meu velho mentor Francis Xavier Muldoon colocou nos termos mais simples: "Vista-se bem que mais pessoas irão lhe escutar". Apesar do fato de nós acharmos que ele está certo, somos tão inseguros ou indiferentes sobre a nossa aparência ou senso de moda que não tentamos nenhuma melhoria até que seja tarde demais. Nós já causamos a nossa primeira impressão e ela não é tão boa.

Criar uma conexão entre como você se veste e como trabalha pode lhe dar uma vantagem competitiva nos negócios. Quando as pessoas o veem pela primeira vez, elas respondem a sua atitude – a linguagem não falada que você projeta quando entra em um ambiente. Parte dessa mensagem é o seu estilo ou a falta de um. O seu presente estilo, ou maneiras, provavelmente foi influência daqueles com quem você cresceu – sua família, seus companheiros, heróis e até celebridades que você admira. Agora é hora de honestamente avaliar o que o seu estilo diz sobre você e ter certeza de que a mensagem que está passando é em seu benefício.

Disponível ou autoritário?

Eu já tirei fotos de milhares de propagandas de moda para as maiores vendedoras e frequentemente discutíamos o visual que queríamos atingir em termos de autoritário, disponível ou algo no meio disso. Esses são os grandes polos norte e sul das primeiras impressões. Construir uma identidade profissional para projetar uma boa primeira impressão deve levar em conta esses limites.

No meio desses dois extremos entre disponível e autoritário, há um terreno fértil onde você pode cultivar um estilo profissional efetivo. Um estilo profissional pode ou não pode adaptar-se à moda atual, mas deve ser uma expressão da sua independência e confiança. Usar roupas atraentes com confiança pode influenciar positivamente aquelas ofertas de emprego em vista, ajudar a garantir uma tão esperada promoção ou fazer a diferença em assinar um contrato multimilionário.

Apenas entrando em uma sala para cumprimentar um novo colega ou indo a um pódio na frente da sua empresa inteira, o que as pessoas veem primeiro, como você sabe, é a sua atitude. O que veem imediatamente depois é como você se arruma, o seu estilo – e, é claro, esses dois não são entidades separadas. Sua atitude afeta o seu estilo.

Juntando sua atitude com sua imagem pessoal, são determinadas as suas credenciais não faladas. Seu coeficiente de autoridade/disponibilidade determina como as pessoas primeiramente irão reagir a você quando finalmente abrir a boca. Pense em uma escala móvel das vestimentas de trabalho com o jeans azul (a calça "do povo") em uma extremidade e uma calça social caríssima feita sob medida (a roupa dos magnatas) na outra. É claro que você não precisa se prender a uma das extremidades. A maior parte das pessoas acha um ponto confortável que empresta e combina elementos dos dois lados. (Lembra o jeito como combinei uma parte superior autoritária com uma parte inferior disponível quando abordei estranhos na rua para o artigo do *The New York Times*?)

Por exemplo, um homem com uma atitude *séria* vestindo um

terno risca de giz apresenta uma fachada de autoritarismo total. Mas se você adicionar um par de suspensórios de tom vermelho vivo ao terno, aquele homem de negócios se torna imediatamente mais disponível. Quão certo eu estou? Bom, quem vai se sentir ameaçado pelo Larry King enquanto ele segura as calças com seus característicos suspensórios? Eles o fazem parecer o inteligente bom jogador que ele é.

> TENHA CERTEZA DE QUE O QUE VESTE ESTÁ PROJETANDO A IMAGEM QUE VOCÊ QUER PASSAR.

Uma mulher pode aparentar a mesma fachada *séria* de autoridade usando um terno feminino moderno de cor escura e saltos discretos. Mas, assim como o empresário que usa suspensório, ela pode demonstrar disponibilidade adicionando cor ao visual com um cachecol brilhante ou uma joia extravagante.

Esses toques imaginativos têm um impacto persuasivo nas primeiras impressões que você escolhe criar, porque oferecem um *vislumbre controlado* da sua personalidade; eles dão a sugestão de como você será quando as pessoas o conhecerem melhor.

EXERCÍCIO

Vista-se para o sucesso

As aparências importam? A resposta é sim. A imagem tem um impacto muito real na sua habilidade de convencer pessoas e, goste ou não, o seu guarda-roupa tem uma importância crucial nesses primeiros noventa segundos em que está tentando começar uma conexão.

Imaginação é tudo para você criar a primeira impressão que deseja. Muldoon me disse: "Vista-se para o trabalho que você quer, não para o trabalho que você tem. Deixe o seu chefe imaginá-lo fazendo apresentações importantes e não perdendo tempo em classificados pelo telefone. Use o seu guarda-roupa como um jeito de apresentar a sua personalidade com estilo".

O seu estilo pessoal vai continuar a exercer uma forte influência em seus avanços na carreira porque, sim, se não conhecemos o autor, julgamos o livro pela capa. Colocando de outra forma, Coco Chanel, a grande e mais experiente mulher da moda disse: "Se uma pessoa se veste mal, você nota as suas roupas; mas se ela está vestida impecavelmente, você nota a pessoa".

O KFC da moda

Digamos que você queira aprimorar o seu visual. Como descobrir que roupas ou acessórios comprar? Você olha para os seus colegas? Você olha para o seu chefe? Lê revistas de moda? Qual é um bom jeito de descobrir o que funciona?

Você pode começar se perguntando algumas questões do KFC: Onde eu quero me posicionar na escala de disponibilidade/autoridade? (No meio não é um lugar bom para estar – erre para o lado autoritário.) O que quero que as minhas roupas comuniquem aos outros? Quão camaleão quero ser? Existe algum aspecto da minha personalidade que quero que a minha imagem pessoal enfatize? O meu atual guarda-roupa faz isso? Leve as suas características físicas em consideração e tenha certeza de que o visual está de acordo com elas.

Em seguida, informe-se. Leia as melhores revistas de moda do país. Estude publicações mensais de moda masculina e feminina internacionais, especialmente as francesas, inglesas e italianas. Essas publicações frequentemente mostram a moda que a maioria de nós não usa regularmente, mas podem lhe dar um senso de estilo. Mantenha o olho aberto a itens que combinam com a imagem que criou para si mesmo.

Terceiro, conecte-se com as pessoas: fale com amigos e familiares que tenham conhecimento em moda. Peça conselhos para aqueles cujo senso de moda você admira. (Uma ressalva sobre conselhos de amigos e família: esteja certo de conversar com aqueles que estão dispostos a ver você mudar. Alguns dos seus entes queridos talvez desejem o seu sucesso, mas podem ter certa dificuldade em se separar da imagem que eles conhecem e amam.) Se aqueles próximos a você não vão conseguir ajudá-lo, contrate um consultor, ou vá para uma boa loja (você não precisa comprar nada), experimente algumas roupas e junte opiniões, muitas delas. Muitas lojas de departamentos de alto padrão têm funcionários que são um pouco como estilistas – elas ajudam a achar o visual certo para a situação certa. Uma vez que o conhecem, eles economizam o seu tempo, montando de três a cinco estilos com antecedência, só esperando por você. É o trabalho deles apresentá-lo no seu melhor e guiá-lo para longe de um visual inapropriado. Além de dar um visual limpo e renovado a você, eles também podem ajudar a montar um novo guarda-roupa. Com isso, localize e desenvolva uma relação com o melhor cabeleireiro e loja de sapatos que você conseguir pagar.

Esteja preparado para gastar com produtos de qualidade. Você está fazendo um investimento que pode impulsionar o seu valor pessoal. Invista em roupas que tenham um caimento a favor das suas proporções. Encontre cores que o façam parecer saudável, renovado e vibrante, e desenvolva um estilo que acentue a sua personalidade em potencial. Se você não consegue bancar os ternos mais caros, gaste com acessórios. Compre a melhor bolsa, cachecol, maleta ou sapatos que puder pagar. Quando nós fotografávamos uma mercadoria barata, frequentemente usávamos acessórios que custam muito mais do que as roupas. Isso faz uma diferença tremenda. O acessório certo pode fazer parecer mais bem-vestido do que você está.

EXERCÍCIO

Encontre o seu estilo

O que o seu visual atual está dizendo sobre você? É essa a imagem que você quer passar? Aqui estão sete perguntas que você deveria se fazer para descobrir seu estilo.

1. Eu pareço um profissional aos olhos de quem me vê?

Atenção aos detalhes que o fazem parecer profissional. Se você parece profissional, frequentemente se sente profissional. Existem diversas culturas de negócios em que ser impecável é considerado a marca do guerreiro. *Dica*: Um esquema monocromático é o jeito mais sofisticado de se vestir. Prova: Giorgio Armani fez fortuna vestindo pessoas dessa maneira. Vestir diferentes tons da mesma cor é reconfortante.

2. Como eu me arrumo combina com o meu guarda-roupa?

O seu cabelo está limpo e bem cortado? As suas unhas estão limpas e arrumadas? Você sente o cheiro muito forte do seu perfume ou colônia – ou pior, a falta de desodorante? Lembre-se: mesmo o cheiro de um fumante passivo pode prejudicá-lo.

3. As minhas roupas estão bem cuidadas?

Atenção aos detalhes é fundamental. Minhas roupas estão devidamente passadas? Sem manchas, fios soltos ou botões frouxos? Os sapatos estão engraxados? Você os usaria na TV – em close?

4. As minhas roupas estão fora de moda?

Algumas roupas saem de moda mais rápido que outras. Você pode optar pelo mais seguro com um guarda-roupa mais duradouro – um suéter de caxemira ou um terno azul-marinho –, ou pode estar na moda. Apenas lembre-se: se você optar por um visual moderno, esteja preparado para repor as suas roupas com frequência. Nos negócios, quando as suas roupas estão fora de moda, *você* está fora de moda.

5. Os meus calçados passam a mensagem certa?

A primeira coisa que os homens olham nas mulheres e as mulheres nos homens são os calçados. Os sapatos estão usados, rasgados, sujos e fora de moda? Eles combinam com a sua roupa? Dizem alguma coisa? Meus sapatos vermelhos adicionam uma nota divertida para um estilo um tanto quanto direto.

6. As minhas roupas são poluídas ou distrativas?

As pessoas conseguem se concentrar com suas ideias sem serem distraídas ou sobrecarregadas pelo seu esplendor sensorial? Qual mensagem o seu guarda--roupa está passando para os outros?

7. As minhas roupas dão motivos para os outros me criticarem?

As suas roupas servem direito? Elas são muito grandes ou muito pequenas? Tamanho não importa – caimento sim. Você parece limpo? Prestou atenção aos detalhes? Está bem-vestido e a sua imagem como um todo está congruente com a sua personalidade e ideias?

Lembrem-se: suas roupas dizem muito sobre você. Invista no seu guarda-roupa com a mesma atenção que investe na sua poupança. Haverá retorno.

Interpretando o papel

Dois anos depois das minhas aventuras em Londres com Francis Xavier Muldoon, eu me encontrava na Cidade do Cabo, África do Sul, me reportando para o meu primeiro dia no *Cape Times*, o jornal matinal da cidade. Eu tinha sido contratado para vender espaço de propaganda em "projetos especiais" – um eufemismo para áreas com problemas. Rico com as lições que aprendi com o mestre lá na Inglaterra, estava otimista. Seguindo o conselho de Muldoon, eu havia investido no meu guarda-roupa profissional. Eu parecia mais com meu chefe do que com meu colega de escritório.

Que dia memorável aquele se tornou! Meu chefe, sr. Eckerman, me chamou em sua sala para me informar sobre a minha primeira atribuição. Ele pegou uma seção específica do seu gabinete, colocou sobre a sua mesa e girou para que eu conseguisse pegar. "Duas vezes ao ano nós fazemos esse suplemento de moda, mas os anunciantes não parecem gostar. Eu quero que você descubra por quê."

Minha resposta foi imprudente, sincera e entusiástica:

– Eu posso dizer-lhe o porquê agora mesmo. As imagens são horríveis. Eu poderia tirar fotos melhores do que essas.

– Você acha mesmo? – ele me olhou diretamente nos olhos.

Eu não hesitei:

– Sim.

Ele franziu os lábios, acenou com a cabeça, torceu o seu bigode; e uma carreira de 25 anos em fotografia de moda começava para mim.

– Ok – ele disse –, está valendo.

Considere comprar uma maleta ou mala de mão de alta qualidade. O acessório certo pode fazê-lo parecer mais bem-vestido do que realmente está.

Simples assim!

Mamma mia! No que eu tinha me metido? Eu não sabia nada sobre fotografia. Eu não tinha nem uma câmera! Felizmente, antes de eu me desesperar, Francis Xavier apareceu na minha mente, dizendo: "Encontre as melhores pessoas que você conseguir".

Com a ajuda do editor de moda do jornal, eu encontrei os melhores modelos, o melhor cabeleireiro, o melhor maquiador, o melhor estilista (a pessoa que as veste e adiciona acessórios ao talento) e um fotógrafo experiente com o seu próprio estúdio. Até eu o encontrar, nunca tinha estado dentro de um estúdio de foto comercial.

Eu confiei minha inocência a essa estilista e ela discretamente me contou todas as boas táticas que já viu um fotógrafo utilizar. E ela tinha visto diversas. A maior parte do que eu sabia sobre moda, eu havia aprendido vendo um clássico de 1966 chamado *Depois daquele beijo*, sobre um malvestido jovem fotógrafo de moda que rodou por Londres em um Rolls-Royce e tirou fotos selvagens de moda em seu estúdio. Mais uma vez, eu era um camaleão. Eu me vesti como o rapaz do *Depois daquele beijo*, e fiz o que a estilista tinha me falado, e todos entenderam que eu sabia mais do que realmente sabia. Entrei no clima (ajustei a minha atitude para *malicioso*) e rapidamente descobri o que eu queria. Disse aos modelos onde ficarem e fiz com que entrassem no clima – atitude é contagiosa. Eu até tirei algumas fotos com a orientação do fotógrafo.

Nós fizemos 24 sessões naquele dia, incluindo cinco exteriores. Em algumas fotos, os modelos pareciam mais formais e autoritários; em outras, estavam mais casuais e disponíveis. Eu aprendi como tecidos mais sérios, para homem e mulher, poderiam fazer modelos parecerem importantes, confiáveis e persuasivos, enquanto roupas mais casuais os faziam aparentar mais disponibilidade, cooperação e relaxamento. É claro, eles ajustavam a atitude para refletir o humor desejado.

Todos os profissionais fizeram o que foram contratados para fazer. Eu aprendi fazendo, direcionando modelos onde ficar e como se sentir. Quando se tira fotos, você não pode dizer às pessoas "pareça feliz" ou "pareça importante" – tem de fazê-las se sentirem assim. Eu descobri que era algo que eu poderia fazer, e fazer bem: Eu me colocava no lugar deles e criava padrões de sincronização com a sua linguagem corporal. "Hmm, desse jeito. Ah! Ombro aqui, assim." Então eu usava a minha voz. Eu adotava uma voz festiva e dizia: "Ótimo!". Depois, uma voz sensual: "Ótimo". Depois uma voz escandalosa: "Ótimo".

Quando o suplemento de 16 páginas foi publicado no sábado seguinte, havia uma pequena caixa de texto no centro da chamada de abertura que dizia "Fotos por Nick Boothman". Que alarde! Eu podia não ter tirado todas as fotos, mas reuni todos os elementos e fiz acontecer.

Por que eu estou contando essa história? Para mostrar que existe uma conexão entre atitude, personalidade e imagem. Quando elas estão em sincronia, passam uma forte mensagem de confiança, e confiança gera coisas boas. Quando eu entrei na sala do meu chefe naquele primeiro dia, senti que parecia como um milhão de dólares e exalava a autoconfiança correspondente. Durante as fotos, entrar no papel me deu um impulso de confiança extremamente necessário, considerando a minha inexperiência. Também aprendi em primeira mão, naquele dia, em que grau as suas roupas e atitudes afetam o jeito como você é percebido. Os mesmos modelos pareciam dramaticamente diferentes nas variadas roupas e movimentos. Para mim, em resumo foi: vista-se como você se sente no seu melhor momento, de uma forma que sinta que consegue conquistar o mundo.

Você deve mudar a sua imagem?

Scott, um amigo meu, mudou de carreira para se tornar um corretor. Ele confessou: "Eu não tive problema em tirar a minha licença, mas não estou tendo sorte alguma em ter pessoas registrando as suas propriedades comigo. Como faço para as pessoas confiarem em mim?". Scott havia investido quase um ano de sua vida e uma quantia considerável para conseguir as suas credenciais. Eu sugeri que ele investisse mais duas semanas e um pouco mais de dinheiro para incrementar a sua imagem.

Primeiro, nós conversamos sobre disponibilidade e autoridade. Se você está considerando confiar em um estranho para vender a sua casa, esse estranho é melhor parecer, soar, sentir e cheirar como se soubesse o que está fazendo. Você quer que essa pessoa seja autoritária, mas também disponível. Você precisa ser capaz de conversar com ela facilmente. Usei com ele as questões da página 138 para determinar que estilo pessoal ele queria comunicar aos outros.

Scott sabia que queria fazer com que as pessoas o respeitassem e confiassem nele, mas ainda não sabia exatamente qual visual adotar. Nós conversamos sobre os diferentes visuais que poderiam funcionar para ele e chegamos a uma série de ideias. Então, com um humor extravagante, Scott teve uma ideia brilhante de tentar um estilo diferente de se vestir cada dia da semana, com a condição de que todos os estilos fossem adequados para ele. Ele decidiu que segunda-feira pareceria esportista, na terça-feira tentaria corretor da bolsa, na quarta-feira ele seria escolar, na quinta-feira tentaria estilo caubói, e na sexta-feira seria como um poeta. Onde ele acharia as roupas era com ele, mas elas teriam de ser de qualidade.

Scott comprou revistas, conversou com vendedores em lojas de roupas e prestou atenção ao cabelo, sapatos e acessórios. Acima de tudo, ele concordou em passar um tempo sozinho, imaginando como seria parecer, soar, sentir e cheirar como cada um desses estilos. (Capturar a sua própria imaginação é uma parte importante do processo de se conectar com quem você é.) Eu providenciei a Scott uma lista de atitudes realmente úteis (caloroso, entusiasmado, confiante) e realmente inúteis (rude, presunçoso, impaciente) e pedi a ele que ligasse uma ou duas das úteis com cada estilo. Isso o ajudaria a definir e caracterizar cada um. Além disso e de pesquisar, imaginar e fazer compras, Scott concordou em maximizar a sua "semana de estilo", trabalhando duro e mais inteligentemente do que antes. Scott já era um trabalhador esforçado e determinado aos padrões de qualquer um, mas ele estava decidido a fazer essa semana do "vamos nessa".

Eu pedi a Scott que estivesse ciente de como se sentia e que tipo de resposta estava obtendo dos outros conforme passasse por cada dia da semana. Eu queria que ele notasse principalmente aqueles momentos em que sentia que as pessoas o estavam levando a sério e confiando nele. A prova do seu sucesso seria melhorar ou não a quantidade de novos registros. Nós concordamos em não nos falar novamente até que ele tivesse um feedback concreto.

Algumas semanas se passaram, e um dia, de surpresa, ele me ligou. A primeira coisa que notei era o entusiasmo na sua voz. Eu rascunhei algumas notas enquanto ele me disse que o visual de caubói – calça de couro, suéter e terno rendado – lhe caía perfeitamente. (O que não foi uma grande surpresa para mim, pois Scott era o mais sinestésico possível.) Ele disse que sempre se sentiu desconfortável e limitado em ternos e que não se sentia trabalhando quando estava com uma roupa casual. "Exatamente no dia de caubói, eu acertei o meu estilo" (linguagem sinestésica).

Ele descobriu que seu novo estilo de vestir mudou o seu estilo de pensar e operar – não só a respeito de assinar novos registros, mas também em lidar com os seus colegas no escritório e (para o seu prazer) quando negociando com outros agentes. Ele havia previamente admitido que ocasionalmente estava confuso e que era uma vítima apreensiva de jogos mentais feitos por alguns dos agentes mais experientes, quando falavam de falta de sorte. Agora, o seu novo estilo lhe dava um ar de autoridade acolhedora que ele não tinha antes. Disfarçava sua inexperiência e falta de confiança. "Eu não sou tão óbvio quanto eu parecia ser. As pessoas me levam mais a sério."

Desde a transformação, Scott assinou seis negócios e trocou de escritório. "Eu sinto que estou trabalhando em um nível muito superior ao de antes, as pessoas me notam," disse.

Você não precisa ir tão longe como foi Scott para achar a imagem que funciona para você. Se você acha que pode fazer isso com alguns acessórios, tente o exercício que proponho.

EXERCÍCIO

Vendo a sua imagem

Liste duas ou três palavras que efetivamente capturem a imagem que você quer projetar – inovador, moderno, confiável, conservador, aventureiro, ousado, progressivo, tradicional, profissional, amigável e por aí vai. Invista algum tempo em uma biblioteca ou livraria que tenha publicações de moda nacionais ou internacionais. Pense em forma, cor e textura.

Agora, imagine-se daqui a cinco anos, rumo ao sucesso. Você vai criar uma memória futura, um momento específico no tempo quando você for bem-sucedido. Talvez você esteja em um jato privativo a caminho da inauguração de outro restaurante em Paris. Talvez você esteja sentado na mesa do café da manhã rindo com os seus filhos e decidindo tirar a segunda de folga. Faça imagens coerentes: as chances de estar em um jato privativo se você for um professor do ensino fundamental não são reais. E é improvável que você seja um crupiê na Cidade do Pecado* se tem três crianças pequenas.

Em seguida, imagine-se no quarto ou no closet da sua futura casa. Abra o seu futuro guarda-roupa. Ele está vazio. Suas roupas ainda não foram entregues. Agora, feche os olhos e veja esse você bem-sucedido daqui a cinco anos. Pergunte-se: "Como eu posso saber que sou bem-sucedido? Como que eu vou ser, sentir, soar, e

---

* Em inglês, Sin City, uma referência à Las Vegas. (N.T.)

qual será meu cheiro especificamente? Quem estará lá comigo? Como a minha vida mudará para acomodar o meu sucesso? Qual vai ser o meu visual? Como eu quero que o meu visual seja? Comece mentalmente a encher o seu guarda-roupa. Agora, abra os olhos. É a hora de dar o primeiro passo na direção de criar um visual para si.

Você pode começar o processo agora mesmo. Comece por determinar onde quer se encaixar na escala de disponibilidade/autoridade. Então estabeleça se é mais confortável com um estilo de pessoa casual ou formal. Tenha em mente os limites e requerimentos da sua ocupação profissional. Quando estiver pronto para dar o próximo passo, ligue para os profissionais.

Diga-me com quem andas e te direi quem és

Você já reparou que algumas pessoas que conhecemos nos negócios preferem fazer com que pareçam ter um milhão de dólares, enquanto outras simplesmente apreciam passar uma mensagem com a escolha de roupa, e ainda há outras que preferem se vestir confortavelmente? Isso mesmo, estamos falando visualmente, auditivamente e sinestesicamente.

Além disso, você provavelmente irá descobrir que, se você é do tipo de pessoa para a qual estar visualmente impecável é importante, você se sentirá mais confortável socializando com pessoas que se vestem como você. Da mesma forma que aqueles que o estilo pessoal favorece roupas largas, com textura, ou roupas simples e confortáveis são atraídos pelos que se vestem da mesma forma, e provavelmente descobrirão que têm mais em comum do que apenas o estilo de se vestir. Aqueles que querem passar uma mensagem pessoal por meio da vestimenta vão facilmente achar inspiração na companhia de alguém igual.

A sua plumagem é como um uniforme sensorial, atraindo outros que compartilham da mesma preferência sensorial. Mas tome cuidado. Tenha certeza de que não está se enganando em acreditar que tem boas habilidades sociais só porque se dá bem com pessoas que são como você: águia com águias, pinguim com pinguins, peru com perus; é uma maneira fácil e inconsciente do semissucesso.

Para realmente ter êxito, você deve aprender como se conectar com pessoas que não são muito parecidas com você e não favorecem as mesmas preferências sensoriais que você. Socialmente, os amigos que escolhemos provavelmente compartilham as mesmas preferências. Nós tendemos a escolher amigos que são como nós e compartilham muitas coisas em comum, mas este é o ponto – nós escolhemos os nossos amigos. Nos negócios, esse não é o caso. Não podemos escolher com quem fazemos negócios, então precisamos nos adaptar para acomodar aqueles que não são como nós. Sim, pessoas iguais se atraem e isso é bom para amizades, mas ruim para os negócios.

Você pode aprender sobre o estilo de conexão de cada pessoa, observando a inclinação sensorial da sua imagem pessoal. Preste atenção no que as roupas delas dizem a respeito da preferência sensorial delas e use isso em seu favor. Fale a linguagem que irá fazer sentido a elas; direcione a prioridade delas.

Montar a sua imagem pessoal de uma maneira que reflita potencial e confira autoridade pode lhe colocar em uma linha rápida de fazer novas e inesperadas conexões de negócios. Estilo começa com uma atitude útil e termina com uma aparência útil. Assim como você deve ser coerente na sua linguagem corporal e nas suas palavras para ser percebido como sincero e digno de confiança, você também precisa prestar atenção na coerência, ou harmonia, entre características do seu corpo, personalidade e vestimentas. Você se sentirá e agirá com o seu melhor quando o seu estilo refletir o seu melhor – ou quando você está indo extremamente bem. Lembre-se, você está sempre se comunicando e a validação dessa comunicação é a resposta que obtém. Esse modelo de comunicação também se aplica ao seu estilo

> O jeito que as pessoas constroem a imagem pode dizer muito sobre elas. Leia os sinais e os use para se conectar.

de negócios. Esteja ciente de como outros respondem a você. Se não estão respondendo da maneira que você quer, então mude o que faz (ou como se veste) até obter o resultado desejado.

Em última análise, estilo vem do interior. Vem da pessoa de dentro que as outras não podem ver. O seu estilo é aquela pessoa, refinada por seus pensamentos, suas ações e suas reações, vestimentas e atitudes. Faça a imagem da sua personalidade para mostrar o seu potencial. Crie uma ligação entre o seu eu interior, suas habilidades, capacidades e seu mundo exterior, onde você contribui e ganha a vida. E faça de uma maneira que você estabeleça sua disponibilidade, autoridade e credibilidade. Você terá uma vantagem competitiva nos negócios.

ENCONTRE SEU ESTILO

Quando as pessoas primeiramente respondem para você, elas respondem a sua atitude – a mensagem não dita que você projeta. Parte dessa mensagem é o seu estilo. Para causar uma ótima primeira impressão, desenvolva um estilo individual que seja uma expressão de independência e confiança.

- Um profissional eficaz balanceia disponibilidade e autoridade.
- Decida a imagem que quer projetar. Pergunte-se: Qual o meu estilo? O que eu quero que a minha roupa comunique aos outros sobre os pontos fortes da minha personalidade? O meu guarda-roupa atual faz isso?
- Vista-se para o trabalho que você *quer*, não para o trabalho que *tem*.
- Lembre-se que, quando você está malvestido, as pessoas notam as suas roupas; quando está muito bem-vestido, elas notam *você*.
- Se você decidir que quer projetar uma imagem diferente, continue experimentando e mudando até achar o visual que funciona.
- Se você precisa de ajuda, considere ligar para um profissional, como um consultor.

Note como se sente e esteja ciente de como os outros respondem a você.

PARTE 4

Construindo relacionamentos

As outras pessoas são o seu melhor recurso. Construa relacionamentos com outras pessoas para que possam lhe oferecer negócios, inspiração, promoção e qualquer outra forma de cooperação na qual puder pensar. Falhe em construir relacionamentos e essas mesmas pessoas podem facilmente impedi-lo de ter o sucesso que você gostaria.

Aprender a socializar com sucesso e criar redes de contato e até mesmo ter conversas casuais são mais ou menos como decorar suas falas em uma peça de teatro. Primeiro você senta e conhece o roteiro. Em seguida, divide-o em pedaços pequenos, que absorve e decora um por um, com a orientação do diretor. Uma vez que suas linhas são memorizadas e você tem uma boa ideia do material, pode esquecer o que o diretor disse a você, dar o seu toque pessoal e deixar sua personalidade brilhar.

9

Abra as linhas da comunicação

Você já notou que algumas pessoas podem chegar a uma reunião, uma conferência ou uma festa e em segundos parecerem estar em todos os lados e com todas as pessoas ao mesmo tempo? E elas fazem esse milagre parecer natural e fácil. Para essas pessoas, cada negócio e evento social representa uma oportunidade de conhecer pessoas, criar redes e expandir o alcance de seus negócios. Seja confiante. Essas oportunidades existem para todos.

Sim, existem pessoas para as quais socializar parece ser natural, mas, na verdade, isso é uma habilidade que você pode aprender. Os talentos desses indivíduos dotados de habilidades sociais podem se tornar seus também. Eu dividi as habilidades aparentemente sem esforço dessas pessoas em uma série de passos que qualquer um pode adotar.

Esses passos podem ser aplicados em todas as situações e facilitarão sua habilidade de conexão, durante um intervalo para café, em uma reunião com novos clientes, em uma cerimônia social da indústria ou em uma conferência de vendas na qual você estará vendo pessoas que só encontra duas vezes ao ano.

Esteja você encontrando alguém pela primeira vez ou pela quinta vez, o que exponho abaixo é um processo testado e aprovado para cumprimentar as pessoas em diversas situações. Dividi esse processo em cinco partes:

1. Abrir
2. Olhos
3. Sorriso
4. Falar
5. Sincronia

Sempre que possível, levante-se para cumprimentar alguém. Se você está no trabalho, levante-se e fique de frente para sua mesa para cumprimentar todos os visitantes, sejam eles clientes, novos colegas ou associados. Assim como apontar o seu coração ao da outra pessoa que você está encontrando, essa é uma forma de remover barreiras e se abrir (se disponibilizar) para a pessoa e para a conversa. Fica estranho se você deixar a mesa entre você e essas pessoas desde o momento em que entram até o momento em que estão prontas para sair. Obviamente, se não é apropriado levantar-se, não faça isso, mas, como regra geral, você deveria levantar-se para a ocasião.

Abrir: O primeiro passo de um cumprimento é abrir a sua atitude e o seu corpo. Para isso funcionar corretamente, você já deve ter adotado uma atitude muito útil (ver na página 63). Essa é a hora de se preocupar com ela, de sentir e estar atento. Aponte seu coração ao da pessoa que você está encontrando e tenha certeza de que não há nada entre você e a pessoa – mãos, braços, pranchetas ou outras parafernálias. Sempre me certifico de que minhas mãos estão visíveis. Mostrar que eu não tenho nada a esconder desarma a "reação lutar ou fugir" subconsciente da outra pessoa.

Olhos: Seja o primeiro a fazer contato visual. Imediatamente mentalize a cor dos olhos das pessoas.

Sorriso: Seja o primeiro a sorrir. Deixe que seu sorriso reflita sua atitude. Um grande sorriso demonstra que você é confiável, honesto e entusiasta. (Se sorrir antes de olhar a pessoa nos olhos, tudo bem. O efeito é o mesmo. Tudo isso acontece em questão de segundos, então apenas esteja confortável e deixe sua atitude se mostrar.)

Falar: Mesmo que seja "Ei!", "Oi!" ou "Olá!", cumprimente a pessoa com uma tonalidade agradável. Se você está encontrando alguém pela primeira vez, fale seu nome primeiro: "Olá, eu sou Joana". Tome a iniciativa. Se um aperto de mão é apropriado, ele normalmente acontece durante a troca de nomes. Infelizmente, com muita frequência, quando tentamos juntar nossas mãos e nos lembrando de apertar forte o suficiente, mas não muito forte, o resultado sensorial sobrecarregado faz com que nossos ouvidos escutem sem que nosso cérebro retenha. Esse é o momento no qual você acaba esquecendo nomes de tantas pessoas que você encontra. Pare. Vá um pouco mais devagar. Escute cuidadosamente o nome da outra pessoa.

Sincronia: Por "sincronia" eu quero dizer: imediatamente comece a se sincronizar com a linguagem corporal da pessoa e suas características de voz. Se você está falando com mais de uma pessoa, vire-se para cada uma delas e fale com uma por vez. No desafio com os cinco entregadores, eu me virei para cada um deles e me sincronizei com eles. Então, sincronize-se com cada pessoa que você está encontrando, mesmo que seja por apenas alguns segundos.

As regras de cumprimentos são aplicadas mesmo quando mais alguém tomou a liderança. Você ainda precisa ajustar sua atitude, fazer contato visual, sorrir, abrir sua linguagem corporal, responder e sincronizar.

O aperto de mão

Eu sei que é um clichê, mas é verdade. Quando você aperta a mão de alguém, a pessoa faz um julgamento imediato sobre você e o seu nível de confiança. Um aperto de mão deve ser firme, rápido e respeitoso, não muito firme e definitivamente não muito frouxo. Se você não tem certeza, erre pelo forte. (Mas se os olhos da pessoa começarem a se arregalar, provavelmente é um sinal de que está apertando forte demais. Por outro lado, se ela parecer ter vontade de secar as mãos com uma toalha depois de ter apertado sua mão, então provavelmente deu a ela um apertão molhado – eca!) O ponto é que um aperto de mão não deve distraí-lo da apresentação.

Conversa fiada: o KY da comunicação interpessoal

Magda passou dois meses trabalhando para reunir os diretores dos departamentos de recursos humanos de 28 clínicas especializadas. O objetivo era revisar um novo conjunto de protocolos. Depois de diversas reuniões cara a cara com alguns deles, o chefe de Magda a chamou em seu escritório e disse: "Eu tenho boas e más notícias. Eles concordaram em se encontrar. Mas não querem trabalhar com você".

Magda estava destruída e confusa. Ela veio a mim pedindo ajuda. Eu rapidamente me dei conta de que não era a primeira vez que isso acontecia com ela. Magda era inteligente, apresentável e direta. Em um primeiro momento, as histórias dela não faziam sentido. Então, algo me ocorreu:

– Como você se sente em relação a conversas-fiadas? – perguntei.

– Não faço isso. Não gosto delas – ela respondeu.

Eu sugeri que essa atitude a fazia parecer como um carro da Jaguar novinho em folha que tinha acabado de sair da fábrica, mas que estava sem pintura. Perfeito em todos os sentidos, mas desconfortável quando se está perto.

– Conversa fiada – falei para ela – é como um facilitador da comunicação interpessoal. Simplesmente faz a conversa acontecer mais naturalmente.

Uma conversa fiada é um bate-papo casual sobre nada em particular que facilita as rodas sociais e possibilita que as pessoas que não se conhecem bem (ou não se conhecem) saibam alguma coisa sobre as outras de um modo seguro e sem confrontos. É também algo fácil de ser feito. Você pode iniciar com comentários simples sobre o clima. Pode perguntar sobre a viagem diária da pessoa para o lugar onde está. Pode comentar sobre esportes ou algo que aconteceu nos arredores, ou fazer um elogio genuíno a uma peça de roupa ou acessório.

Conforme continua a interagir, você poderá perguntar sobre o que a pessoa gosta de fazer no tempo livre, ou de onde ela é. Você pode conversar sobre cultura popular: os últimos escândalos das celebridades, um livro *best-seller*, um novo filme, quem vai ganhar o Big Brother. Um comentário natural e simples sobre a ocasião ou o lugar seguido de uma pergunta de abertura funciona muito bem. Você não precisa agonizar buscando perguntas brilhantes – simplesmente fale algo e em seguida faça uma pergunta simples ("Não é mesmo?", "Não é verdade?" ou "Você não acha?").

Mantenha a conversa leve e fique longe de qualquer assunto político ou sexual. Selecione indicadores e informações gratuitas (veja página 154). Aumente o que vocês já sabem um do outro. Fale sobre quem vocês conhecem e busquem um assunto em comum. Mostre que você está genuinamente interessado.

Tenha certeza de que a outra pessoa está falando pelo menos metade do tempo. Lembre-se de se calar e escutar. Escutar com seus olhos e com seus ouvidos.

Facilitando: apresentando outras pessoas

Se você apresenta o seu chefe a um contato de mídia amigável, um cliente a alguém que pode ajudar a aperfeiçoar o processo de manufatura dele ou um colega de trabalho a alguém que possa lhe dar bons conselhos para fazer seus filhos ingressarem em uma universidade, você constrói mais capital pessoal para si. Quanto mais talento tiver para facilitar apresentações válidas, mais será notado como alguém com fortes e fluidas habilidades sociais. Torne-se bom em apresentar pessoas. Isso vai fazer você se destacar na multidão, e as pessoas vão pensar que você tem muita confiança.

Quando você tem de apresentar outras pessoas, não as deixe esperando. Vá e faça de uma vez. Você não apenas vai precisar saber os nomes delas, mas a boa etiqueta de negócios exige que separe a ordem de importância. As pessoas da base da pirâmide são apresentadas às do topo. É sempre: "Senhor presidente, eu gostaria de lhe apresentar Bruce Harris". Nunca: "Bruce Harris, eu gostaria de lhe apresentar o presidente".

> Como Francis Xavier Muldoon colocou: "Apresentações são uma parte importante dos negócios. Aprenda a lidar com elas graciosamente e você mostrará a marca de um elegante profissional dos negócios".

Se não há hierarquias, apresente por idade. Se você está fazendo apresentações em um grupo e encontra alguém que não conhece, tome a iniciativa – apresente-se e diga "Meu nome é tal e tal. Eu acredito que nunca nos encontramos antes", e, em seguida, inclua esse seu novo conhecido na corrente de apresentações.

Produzindo apresentações

Se você vê alguém que gostaria de conhecer em um encontro, peça ao anfitrião ou a um amigo em comum que o apresente a essa pessoa. Mas não deixe que as coisas aconteçam por sorte. Ao contrário, prepare sua propaganda de dez segundos e diga a quem vai apresentá-lo o que deve dizer – seu nome, talvez de onde é e com o que trabalha –, aquilo que acredita que mais interessa à pessoa a quem será apresentado. Uma apresentação com detalhes vai ser bem melhor do que uma frase como "Margot, este é o Jamie. Jamie, Margot".

Se você quer mesmo impressionar, peça ao seu anfitrião uma ou duas informações interessantes (mas não muito pessoais) sobre a pessoa que você quer conhecer antes da apresentação. Assim, quando você se conectar, pode dizer: "O Peter me disse que você passou o último mês andando de bicicleta pela Guatemala. Qual foi seu maior desafio? O que o inspirou a ir?". Saber algo específico e recente sobre a pessoa que você está conhecendo permite que vocês pulem a conversa fiada e cheguem a um nível mais pessoal rapidamente.

A regra dos três segundos

Em um mundo perfeito, sempre existiria alguém disponível a fazer uma apresentação em um espaço familiar e emocionalmente confortável para interação: uma reunião, um almoço, um grupo de contatos, um evento de arrecadação de fundos ou uma aula. Pesquisadores chamam essas configurações de "campos fechados". São um lugar onde todos têm a oportunidade de encontrar-se com outros e a expectativa é de que isso aconteça de fato. Encontrar-se com pessoas em um campo fechado confortável, sendo apresentado por um conhecido em comum, dá a você uma abertura automática para a conversa, mesmo que seja um simples "Como vai você, Bob?" ou "Como você se envolveu com esse projeto?". Também é mais provável que vocês dividam interesses, valores e gostos, possibilitando que estabeleça harmonia rapidamente e efetivamente.

> NÃO DEIXE SUAS INIBIÇÕES EVITAREM ENCONTROS COM PESSOAS. CONTE ATÉ TRÊS E APRESENTE-SE.

No entanto, haverá vezes em que você verá alguém que gostaria de conhecer em um campo aberto, como uma convenção, uma apresentação de produto, uma sala de espera ou em um trem que você toma habitualmente. Para a maior parte de nós, essas podem ser situações assustadoras. Afinal, desde pequenos nossos pais nos dizem que não devemos falar com estranhos, e o simples pensamento de fazer isso imobiliza muitos de nós. Todavia, vamos fazer uma nova regra. Ainda que "Não fale com estranhos" seja um bom lema para crianças, isso não tem sentido para adultos e, na verdade, é o contrário de produtivo.

É preciso muita coragem para se aproximar de um estranho e começar uma conversa. Mas existem momentos nos quais você precisa agir ou nunca mais verá a pessoa de novo. Aqui está uma diretriz natural e fácil para se conectar em um nível pessoal, em, vamos dizer, uma convenção para dentistas. Com pequenas modificações, esses passos são aplicados igualmente no trabalho, em uma feira de comércio ou em qualquer oportunidade que se apresente.

1. Aproveite a regra dos três segundos. Não pense demais! Respire fundo, conte até três e adote uma ótima atitude. Curiosidade, entusiasmo ou calma são boas. É simples: quando você vê alguém com quem quer falar, diga para si mesmo "Um, dois, três" e ande até ela, sem hesitar. O ponto-chave é se movimentar dentro de três segundos. Não deixe que seu cérebro tome controle e comece a aparecer com desculpas. Tenha certeza de que sua linguagem corporal está aberta (sem braços cruzados ou mãos nos bolsos). Então, agarre o momento, conte até três e aborde a pessoa calmamente.

2. Diga alguma coisa. Você poderia começar com uma frase casual ligada à situação (talvez algo sobre a cidade ou o clima), seguida de uma questão de abertura (uma que comece com quem, o que, qual, onde, por que, quando ou como). O objetivo é selecionar um tópico que direciona a atenção para outra coisa que não sejam vocês dois. Quando apropriado, use um suporte, como um catálogo, para desviar a atenção. Pegue o catálogo e espere alguns segundos. Então, casualmente pergunte algo como "Você sabe alguma coisa sobre essa empresa?".

3. Construa confiança. Uma vez que você abriu as linhas da comunicação, precisa demonstrar integridade e ganhar credibilidade rapidamente. A melhor maneira de construir confiança é se vinculando ao evento falando do seu trabalho, escola ou envolvimento com a comunidade (algo local e de confiança). Pode dizer "Meu escritório é em Montreal e eu venho aqui quase todos os anos".

4. Busque assunto em comum. Esteja sempre atento às oportunidades de dizer "Eu também" (ou "Que coincidência", ou "Engraçado que você diga isso"). Seja honesto e sincero.

5. Avalie. Conversar por vinte segundos é tempo suficiente para dizer se uma pessoa está interessada na conversa. Se não está indo bem, educadamente saia da conversa e não fique desencorajado. Seja destemido e calmo, e se desligue do resultado.

6. Sincronize. Se você sentir uma conexão, intensifique-a sutilmente espelhando a posição corporal da pessoa e a voz dela (tom, velocidade e volume). Se a pessoa fala devagar e baixo, faça o mesmo.

7. Comprometa-se. Se vocês ainda estão conversando depois de dois minutos, pode levar a pessoa a qualquer lugar que queira ou pedir um número de telefone ou endereço. Isso pode ser difícil de ser feito, então, se você não se sente confortável em perguntar, escolha um assunto sobre o qual vocês vêm falando e se ofereça a enviar uma página da internet ou alguma informação se a pessoa lhe passar o e-mail. Quando você pede informações pessoais, permaneça calmo e olhe a pessoa nos olhos. Se a pessoa concordar com o seu pedido, anote a informação ou troque cartões de visita. Se o seu pedido for negado, então educadamente diga "Foi bom conversar com você" e cuide dos seus problemas com sua confiança intacta.

EXERCÍCIO

A regra dos três segundos em ação

Nos seguintes cenários, use os detalhes da situação, compreenda que você tem harmonia e decida o que dirá. Inicie com uma frase relacionada à conversação e siga com uma pergunta de abertura.

1. Está chovendo quando você sai da loja. Muitas pessoas estão esperando a chuva melhorar debaixo do toldo porque elas, assim como você, não têm guarda-chuva. Você está parado em pé perto de alguém. "Um, dois, três", você diz...
2. Você está no trabalho e decide dar uma volta lá fora no seu intervalo porque está uma linda tarde. Você nota uma nova contratada que ainda não conhece. "Um, dois, três", você se aproxima e diz...
3. No seu caminho para o trabalho você decide parar e tomar um café e nota alguém que já viu em outro departamento. Ele/ela está se preparando para comprar um café também. "Um, dois, três", você diz...

Informação gratuita

Os primeiros segundos de qualquer encontro são ricos em oportunidades. Nós podemos usar a tendência natural humana de sincronizar e ter comportamento recíproco de diversas formas, incluindo obter informação gratuita.

Em uma situação de negócios controlada – ao contrário de, vamos dizer, ir ao encontro do(a) estranho(a) na rua –, se eu digo "Bom dia", você provavelmente dirá "Bom dia" ou algo similar, certo? E se eu apertar sua mão e disser "Bom dia, eu sou Jeff"? A expectativa é que você responda com informação comparável: "Olá, eu sou Janet". Se você só disser "Olá" sem proferir seu nome, eu posso razoavelmente sugerir que você o fale com algo tão simples quanto um olhar curioso ou devastador como "E você é?".

Se isso fosse um jogo de tênis, seria como jogar a bola para o lado adversário. Ou a pessoa sabe que tem de haver reciprocidade e devolver a bola para você, fazendo isso naturalmente, ou você pode encorajá-la a fazer isso. O ponto é que deve preparar a pessoa para ser recíproca. De uma forma razoável, você pode incluir múltiplos comentários na sua apresentação. "Olá, eu sou Jeff. Eu moro em Beaverton e li sobre esse encontro no jornal local." Você abriu o caminho. Ou a outra pessoa vai responder com uma informação dela ou você pode cutucá-la com alguns acenos e palavras encorajadoras. No final, você tem informações sobre a outra pessoa que podem ser usadas para acelerar a conversa e realmente se conectar.

EXERCÍCIO

O jogo do nome

Conforme as empresas crescem e se tornam nacionais ou até internacionais, muitas pessoas encaram a árdua experiência de tentar freneticamente lembrar quem é quem em algumas daquelas ocasiões em que grandes grupos se reúnem. Se você vir alguém que já encontrou antes e de quem não lembra o nome, dê o primeiro passo e se reapresente. Estimule a memória dela com uma frase como "Bom dia, eu sou Elizabeth Davis. Nós nos encontramos recentemente no lançamento da Cougar Global. É bom vê-lo novamente".

A busca por assunto em comum

Na principal parte do processo de estabelecer harmonia instantânea, está a busca por assunto em comum. Nós gostamos de pessoas que são como nós. Descobrir que dividimos o mesmo interesse por filmes, roupas, férias, restaurantes, programas de TV, futebol ou paraquedismo é como encontrar um vínculo mútuo que nos possibilita acelerar o sentimento de que já sabemos, entendemos e confiamos na outra pessoa.

Quanto mais rápido puder encontrar coisas em comum com a pessoa ou as pessoas com quem você está se conectando, mais rapidamente a harmonia pode ser estabelecida. Arrisque-se além de "Parece que vai chover" e "E que tal o Campeonato Brasileiro?",

Para encontrar assunto em comum, faça perguntas que aticem a imaginação.

com uma conversa fiada de tópicos insignificantes, pessoais ou profissionais, para que haja assunto. "Eles estão substituindo as máquinas da fábrica de motores, então nós estamos bem em cima da hora com nossa programação. Como isso te afetou?"

Até quando vocês não têm uma fábrica de motores ou um gosto em comum, a maneira mais fácil de fazer alguém falar é perguntar o que pensa a respeito de alguma coisa. Se você está em uma convenção, pergunte o que ela acha sobre o transporte, o hotel, as horas, as primeiras impressões sobre o lugar. "Essa é sua primeira viagem? Qual sua impressão inicial?", "O que você acha da vista no deque de observação?", qualquer coisa para fazer a pessoa falar. Outra pergunta que cria harmonia é "Como você começou?", "Como você começou em vendas?", ou "O que o levou a finanças?". Esse é o tipo de história que todos têm a contar e é quase garantido começar uma conversa com elas.

No momento em que encontrar assunto em comum, você encontra direção e energia, o nível de conforto expande e pode começar a relaxar um pouco.

No entanto, pule o passo de encontrar assunto em comum e estará brincando com fogo. Em um seminário executivo recente, contaram para mim a seguinte história de terror que mostra diversas maneiras com as quais você pode perder uma oportunidade, seguida de outra de se conectar. Os jogadores aqui são Lucinda, uma jovem e ambiciosa analista em uma corretora, e Dianne, uma analista sênior e a melhor apresentadora de sua empresa. Lucinda convidou Dianne para almoçar com esperança de que ela a ajudasse a se preparar para uma apresentação crucial.

– Você sabe algo sobre comida da Mongólia? – Lucinda perguntou para Dianne, enquanto ela lhe mostrava o bufê no centro do restaurante que havia escolhido para o almoço. Sem dar a chance de Dianne responder, ela continuou: – É muito gostosa. Aqui, pegue mais. Deixe-me colocar isso no prato para você. – Lucinda colocou uma porção de porco cru e frango no prato da Dianne. – Eu sei que você acha que parece gula, mas a comida diminui muito de tamanho quando eles cozinham.

– Eu já fui a um restaurante da Mongólia – disse Dianne.

– Você já esteve aqui? – Lucinda perguntou e continuou. – As grandes estrelas comem aqui. Sabe quem veio aqui um dia desses?

Enquanto elas voltavam à mesa, Lucinda ainda estava falando. E enquanto comiam, ela continuou falando nervosamente sobre outros restaurantes, celebridades que havia visto, a academia que frequentava.

– Então, o que tudo isso tem a ver com a apresentação? – Dianne interrompeu.

– Eu tenho que fazer essa apresentação em duas semanas. É a mais importante tarefa que meu chefe já me deu e eu não posso arruiná-la. Eu estava esperando que você pudesse me dar um direcionamento.

– Para quem é a apresentação?

– Eu não posso dizer, é confidencial – disse Lucinda, olhando em volta no restaurante como se ela tivesse com medo de que alguém a pudesse escutar.

– Você não pode me dizer? – Dianne perguntou incrédula.

Lucinda balançou a cabeça, dizendo:

– Meu chefe não quer que eu fale sobre isso.

– Uma boa apresentação começa com o conhecimento da sua audiência, e você não pode me dizer? Como espera que eu a ajude? – Dianne parecia já considerar o almoço acabado.

– Veja, todos me dizem que você é a melhor em fazer esse tipo de apresentação. Eu simplesmente pensei que poderia aprender alguns dos seus segredos... – Lucinda disse, enquanto sua voz se abaixava e se tornava menos confiante conforme via a reação de Dianne.

– Ah, jura? – Dianne olhou para o relógio. – Você quer que eu diga a você como eu faço as coisas e o que eu aprendi para que assim algum dia possa ocupar a minha posição?

Lucinda pensou por um momento. Quando ela viu que Dianne olhou mais uma vez para o relógio, disse com uma voz fraca:

– Se você está sem tempo agora, talvez possa me enviar um e-mail?

Enquanto pedia a conta, Dianne falou calmamente:

– Acho que não.

Eu, eu, eu. Lucinda só estava envolvida consigo mesma. Ela estava nervosa por pedir ajuda e tentou compensar isso falando e falando até que enfureceu completamente a mulher que poderia ajudá-la. Ela estava tão ocupada falando e falando que nem ofereceu uma pequena chance de Dianne se conectar. Quando Dianne mencionou que já havia estado em um restaurante mongol antes, essa poderia ter sido a ponte para o assunto em comum: "Que bom. Do que você gosta? Quanto tempo faz?", mas Lucinda perdeu essa chance. Ou Lucinda poderia ter reconhecido seus problemas e demonstrado sua vulnerabilidade dizendo algo como "Eu quero algo de você porque eu a admiro" ou "Posso lhe contar um segredo? Eu estou envolvida nesse projeto incrível e estou um tanto nervosa. Você sabe o que eles estão pensando? 'Uma mulher pode fazer isso direito?'" ou "Eu sei isso, mas por alguma razão congelo quando tenho de apresentar. Dianne, você é uma lenda aqui. Suas apresentações são nota dez, ou mais. Você poderia me ajudar?".

Essas mulheres poderiam acabar se tornando aliadas, mas Lucinda causou uma primeira impressão ruim, não usou feedback algum, não se mostrou flexível e não usou a imaginação. Lucinda falhou em encontrar assunto em comum e falhou em se conectar.

EXERCÍCIO

A busca por assunto em comum

Por uma manhã, pratique encontrar assunto em comum com estranhos ou pessoas que você conhece pouco. Tente encontrar o assunto em menos de sessenta segundos.

Faça perguntas que apontem as pessoas diretamente a sua imaginação. As perguntas não precisam ser estranhas ou não usuais. Elas apenas não podem ser de resposta fechada, como "Você já veio aqui antes?". Em vez disso, pergunte "O que você acha desse espaço de convenções?". Nós podemos reconhecer como perguntas hipnóticas porque as pessoas param por um segundo para procurar a resposta. Uma coisa engraçada acontece com muitas pessoas quando elas tentam acessar a imaginação por um pedido seu: há um tipo de intimidade. É como se pensassem que você pode ver, ouvir, sentir, saborear e cheirar as mesmas coisas que elas têm em suas cabeças. Pergunte a alguém sobre o último filme realmente engraçado que viu e veja a expressão e o comportamento dele mudarem.

Escute e observe atentamente como as outras pessoas encontram assunto em comum. Colecione suas próprias questões. Você não pode usar sempre as mesmas perguntas para todos, porque cada um de nós tem sensibilidades diferentes, mas ficaria surpreso em como pode alcançar muitas pessoas com não mais do que três ou quatro boas perguntas.

O CUMPRIMENTO

Socializar é uma habilidade mais natural para uns, porém todos podem aprender as habilidades necessárias para fazer conexões com as pessoas. O processo testado e aprovado para cumprimentar as pessoas pode ser dividido em cinco partes:

- Abrir: Abra a sua atitude e o seu corpo. Aponte seu coração ao da pessoa que você está encontrando.
- Olhos: Seja o primeiro a fazer contato visual. Mentalize a cor dos olhos da pessoa.
- Sorriso: Seja a primeira pessoa a sorrir. Deixe que seu sorriso reflita sua atitude e mostre que você é confiável, honesto e entusiasmado.
- Falar: Cumprimente a pessoa com uma voz calorosa e amigável. Fale seu nome primeiro. "Olá, eu sou a Joana." Tome a liderança. Torne uma prática lembrar os nomes das pessoas.
- Sincronia: Sincronize sua linguagem corporal e sua voz com a da outra pessoa.

APRESENTAÇÕES

Apresentações são parte importante dos negócios. Lidar com elas graciosamente é a marca de um profissional elegante.

- Sempre que possível, levante-se para cumprimentar a pessoa. É simplesmente outra maneira de remover barreiras entre vocês.
- Mantenha seu aperto de mão firme, rápido e respeitoso.
- Junte pessoas apresentando-as. Seja visto como um facilitador talentoso. Apresente a grande estrela à menor estrela.
- Não espere para ser apresentado. Encontre alguém para apresentá-lo ou mantenha seus olhos abertos para oportunidades de se apresentar.

- Se apropriado, fale ao apresentador uma ou duas coisas para ele mencionar na apresentação.

ENCONTRE ASSUNTO EM COMUM

Quanto mais rápido você puder achar coisas em comum com a pessoa ou as pessoas com quem está se conectando, mais rapidamente a harmonia poderá ser estabelecida.

- Use a técnica da informação gratuita e faça perguntas que aticem a imaginação. Seja curioso a respeito dos outros.

10

Faça-os falar

Benjamin Disraeli se tornou membro do Parlamento Britânico aos 33 anos e primeiro-ministro aos 64. O maior rival político de Disraeli era William Gladstone, um ministro liberal que era reconhecido por suas habilidades como orador.

Uma noite, o sr. Gladstone levou uma jovem moça para jantar; na noite seguinte, a mesma mulher jantou com o sr. Disraeli. Ao perguntarem depois sobre qual a impressão que os dois distintos cavalheiros haviam causado nela, ela disse: "Depois de jantar com o sr. Gladstone, eu pensei que ele era a pessoa mais inteligente em toda Inglaterra. Depois de jantar com o sr. Disraeli, pensei que *eu* era a pessoa mais inteligente da Inglaterra". Dois homens eloquentes e inteligentes; dois resultados completamente diferentes. Julgando pelas suas reputações, o sr. Gladstone deve ter passado mais tempo focando o holofote da conversa em si mesmo do que na sua convidada, enquanto o sr. Disraeli fez exatamente o oposto. Talvez o sr. Gladstone tenha passado mais tempo falando do que sua convidada, enquanto o sr. Disraeli fez com que o oposto acontecesse.

Disraeli havia se conectado e construído uma relação muito mais profunda e memorável do que um simples contato social ou de negócios.

Disraeli personificou as três atitudes mais carismáticas e realmente úteis – entusiasmo, curiosidade e humildade –, enquanto Gladstone negligenciou a parte da humildade. Você já assistiu a alguma entrevista na televisão na qual o entrevistador fala mais do que o convidado? É entediante e irritante. As regras básicas para se conectar com sucesso são praticamente as mesmas para entrevistas: faça a pessoa falar, mantenha-se focado, observe ativamente, escute ativamente, dê feedback, encoraje e tenha certeza de que você escuta mais do que fala. Qual resultado é melhor do que ter o seu cliente indo embora convencido de que ele ou ela é a pessoa mais interessante que você já conheceu?

Como fazer uma conversa fluir

Nas organizações, conversação é a cola que segura tudo. A CNN realizou uma pesquisa nacional (nos EUA) que perguntava "Quão bom você é em uma conversa de negócios?". Havia três opções para serem escolhidas. Das 3.537 respostas, 30% foram "Eu poderia ter uma ótima conversa com uma maçaneta", 48% escolheram "Eu sou bom às vezes, mas na maior parte das vezes eu tenho sorte" e 22% optaram por "Invariavelmente terrível. Eu travo, gaguejo".

Pergunte isto a você mesmo: As minhas conversas são como jogos de tênis, em que a ação vai e vem, ou como um jogo de golfe, no qual nós todos podemos estar jogando no mesmo buraco e nos reunimos apenas para anotar os resultados? Se você está cansado de bater na bola sozinho, então olhe para os lados. Existem diversos tipos de pessoas prontas para ensinar um pouco de tênis a você.

Eu já fui entrevistado centenas de vezes e, sempre que posso, pergunto aos meus entrevistadores como eles fazem para fazer as pessoas falarem. Não importa se eu estou falando com um jornalista, um radialista ou um apresentador de televisão. Todos eles dizem a mesma coisa: perguntas são como faíscas de conversa, especialmente perguntas abertas. Perguntas abertas fazem a conversa rolar e abrem as pessoas; perguntas fechadas as calam. Perguntas abertas o direcionam para o coração e para as emoções, enquanto perguntas fechadas vão direto para a cabeça e para a lógica. Qualquer pergunta que comece com "Quem", "O que", "Por que", "Onde", "Quando" e "Como" incita uma visita à imaginação. Questões que começam com "Você está", "Você fez", "Você já" requerem uma resposta lógica de sim ou não. Por exemplo:

P: Você foi à loja?

R: Sim.

Ótimo, agora eu tenho que pensar em outra pergunta! Vamos tentar novamente com algumas questões que vão fazer a conversa fluir:

"Quem estava na loja?"

"O que você fez no seu caminho para a loja?"

"Por que você foi à loja?"

"Onde é a loja?"

"Como você foi à loja?"

Todas essas perguntas requerem que a outra pessoa acesse a sua memória e reviva sua experiência. Quanto mais sensorial, rica ou imaginativa a explicação, mais interessante a pessoa parece e melhor a conversa (e a conexão) será. Fazer a pergunta e, em seguida, extrair informações sensoriais da pessoa que está falando com você, assim como Disraeli, pode fazer a sua companhia se sentir a pessoa mais inteligente do mundo.

Na realidade, você não pode chegar como um oficial da alfândega e perguntar uma questão brusca atrás da outra. Você precisa usar uma abordagem mais sutil. Você recorda que, quando eu estava me conectando com estranhos na rua, suavizei minha abordagem inicial com "Eu posso lhe fazer uma pergunta?". Outro jeito fácil de fazer isso nas suas negociações diárias é com um comentário sobre um assunto em comum relacionado ao local ou ocasião, para dar o pontapé inicial na conversa: "Parece que há mais expositores do que no ano passado. Quantos você já viu?", "Dado o estado de conservação da rua ao redor da loja, o que você achou da viagem?", "Parece-me que todos estão conversando e se divertindo. O que você acha de fazer essas reuniões com mais frequência?".

EXERCÍCIO

Apenas perguntas

Tenha uma conversa com um amigo fazendo apenas perguntas; em outras palavras, você deve responder uma pergunta com outra pergunta. Isso é um jeito sensacional de afiar as suas habilidades de conversação.

Em outro dia, quando quiser que lhe perguntem algo, responda com uma pergunta. Se você perder, não se preocupe, ninguém saberá.

Outro jeito de começar uma conversa é usando comandos diretos à imaginação: "Conte-me sobre...", e preencha as reticências: "Conte-me sobre a sua viagem", "Conte-me sobre os novos rapazes do quarto andar".

Quando você pede uma opinião ou pede para que lhe contem algo, coloca a bola na quadra da outra pessoa (para voltar à metáfora do tênis). Quando elas a mandam de volta, atente-se aos *indicadores* e escolha aquele que parece ser o mais óbvio. Indicadores são palavras que você consegue escolher e repetir para o seu parceiro enquanto direciona o foco da conversa. Eu destaquei algumas linhas de uma conversa recente que tive com um CFO de uma corporação de médio porte.

> Faça perguntas que deem um estalo na imaginação das pessoas e estimulem a conversa.

– Conte-me sobre a política de devolução da sua empresa – disse.

– Para começar, nós fomos forçados a trocar os nossos procedimentos de estocagem em julho, porque a companhia de logística com a qual lidamos instituiu uma nova restrição de peso. – Ele suspirou e balançou a cabeça. – Causou todos os tipos de dores de cabeça para a equipe de entregas.

– Como a equipe de entrega respondeu a todas essas mudanças?

Isso iniciou a conversa. Durante os segundos seguintes, ouvi sobre problemas de pessoal, estratégias de soluções de problemas e uma dúzia de maneiras das coisas darem errado. Eu mantive a bola em jogo com algumas questões, uma atitude atenciosa e feedback: alguns acenos com a cabeça, um "sim" ou dois e, em um certo ponto, um balançar de ombros. Nós continuamos por um tempo e eu diria que aprendi muito. Eu também posso dizer que o CFO se retirou certo de que era a pessoa mais interessante da sala.

Mas o que você pode fazer quando tem certeza de que é a pessoa menos interessante da sala? Deixe-me contar sobre o meu amigo George.

> EVITE PERGUNTAS COM RESPOSTAS SIMPLES DE SIM OU NÃO.

George, um gerente de recursos humanos de uma das maiores empresas de consultoria do país, está nos seus quarenta anos e um pouco inseguro a respeito disso. Ele vem tendo dificuldades em manter uma conversa com os seus funcionários juniores e sabe que, se quiser continuar tendo sucesso, tem de se conectar. Um de seus amigos lhe disse a respeito da técnica de responder uma pergunta com outra pergunta para fazer progresso com pessoas com quem não tem muito em comum.

George marcou uma sessão informal com dois de seus funcionários para decidir onde fazer o próximo retiro da companhia.

– Esse ano devemos fazer algo próximo à cidade, George, você não concorda? – disse Dale, um rapaz de 25 anos com aparência arrogante.

– O que você acha do Lancaster? – perguntou George. O Lancaster recentemente havia passado de um velho motel do centro da cidade a um estiloso hotel-butique.

– É normal, mas você acha que suporta 350 pessoas? – perguntou Jackie, que vive perto do Lancaster e estaria muito mais feliz com três dias em um retiro no campo.

– Qual é a melhor maneira de descobrir? – George disse.

– Nós podemos ir checar o local – sugeriu Dale.

– Algum comentário a respeito de fazer novamente em setembro? – perguntou George.

– Setembro é o mês para estar no campo – disse Jackie. – O que acham de irmos ao Boulders? Vai ser como nos bons e velhos tempos.

– Você não é um pouco jovem para lembrar alguma coisa dos bons e velhos tempos? – Dale falou sarcasticamente.

– Eu só pensei que a ideia era para as pessoas se divertirem também – Jackie respondeu bruscamente.

– Se nós estamos buscando diversão, não deveríamos estar falando de Las Vegas? – George perguntou, sorrindo. Os outros dois olharam para ele, chocados por um momento, e então riram. George se juntou a eles. "Agora estamos conversando e eu gosto disso", George pensou. "Somos uma equipe e eu sou parte dela."

A primeira vez que George ouviu sobre a técnica de responder uma pergunta com outra pergunta com a finalidade de se conectar, pensou que era uma piada. Agora que havia tentado, achava genial. Ele não só estava se entendendo com os empregados mais novos, mas também havia colhido algumas ideias interessantes aqui e ali.

A arte de manipular

Em algum ponto dos primeiros minutos do seu encontro, você irá sentir que a conversa está ganhando movimento. Não procure por isso; você sentirá quando acontecer. Agora é a hora de passar de uma conversa educada e inquisitiva para algo mais pessoal. Isso requer uma mudança de atitude e intenção. Existe uma distinção qualitativa, que precisamos diferenciar aqui, entre o que eu chamo de fala factual e, na falta de uma palavra melhor, manipulação. O falante factual incita a lógica e os aspectos analíticos de uma pessoa, enquanto o manipulador fala aos sentidos e à imaginação.

> USE O SEU CORPO ASSIM COMO OS SEUS OLHOS E VOZ PARA MOSTRAR QUE ESTÁ PRESTANDO ATENÇÃO.

Uma conversa de um grande manipulador é íntima e aconchegante, até parece fofoca. O manipulador usa as palavras mágicas "quem", "o que", "onde", "por que", "quando" e "como" para obter respostas emocionais, enquanto o falante factual usa palavras apenas para obter informações. O manipulador joga com os sentidos e pergunta: "Como você se sente sobre...? Como você vê...? Como isso soa...?". Ele usa suavizadores linguísticos e habilmente fala com uma linguagem vaga para atrair o seu parceiro de conversa. "Ajude-me a entender como podemos fazer isso funcionar." "Quais são as suas primeiras impressões?" "Diga-me novamente por que você acha que devemos construir ali." A frase inicial de todo bom manipulador deve fazer com que o manipulado vá direto a sua imaginação. Manipuladores às vezes acenam e balançam sutilmente, utilizam até mesmo um som de "hum" para cativar e encorajar os parceiros a responder. E quando fazem isso, a conexão entre eles cresce ainda mais. Falantes factuais, com a sua ênfase na informação, inevitavelmente acabam em um beco sem saída na conversa, jogando tênis sozinhos.

Mantenha o foco

A linguagem de um manipulador pode ser habilmente vaga e sua linguagem corporal sutil, mas nunca duvide de que um bom manipulador esteja sempre focado no que ele quer. Mesmo que o leve para todos os lados da conversa, sempre tem o objetivo em mente. Ele está sempre trabalhando com o KFC. Por exemplo, deixe-me contar sobre Abigail, CEO de uma fábrica de médio porte dos Estados Unidos, que me contratou para um trabalho de consultoria. Abigail me convidou para observar uma reunião informal dos funcionários. Essas reuniões tinham como finalidade ser uma recapitulação casual das conquistas mensais e planos para o futuro. Abigail sabe como se tornar íntima rapidamente, como olhar e escutar ativamente e como permanecer focada.

EXERCÍCIO

Permanecendo focado

Mantenha-se no caminho certo durante qualquer novo encontro de negócios, perguntando-se repetidamente "O que eu quero?". Diga a você mesmo de maneira precisa qual é o resultado desejado e permaneça positivo. Lembre-se do seu KFC até o final dos noventa segundos e além deles.

Tente isso com um amigo. Um de vocês é A e o outro é B. A pergunta para B: "Conte-me sobre o seu trabalho". A tarefa de B é sair do assunto o mais rápido possível. A função de A é reconhecer o mais rápido possível quando isso acontece, e então usar uma das frases de B para interrompê-lo e fazer com que volte ao "Conte-me sobre o seu trabalho". Por exemplo:

A: "Conte-me sobre o seu trabalho."

B: "Eu vendo equipamento fotográfico. Desde que eu era criança, gostava de olhar a paisagem e..."

A: "Eu acho paisagens fascinantes. O que o seu trabalho envolve?"

Tente isso por três minutos, então troque de papéis. Não se preocupe em ser óbvio. O ponto desse exercício é aprender a reconhecer quando você ou a pessoa com quem está falando está saindo muito fora do assunto. Você já viu o resultado quando entrevistadores de televisão deixam os seus convidados – ou pior, eles mesmos – divagarem sem razão aparente. Interesse e impacto diminuem e a conexão pode ser perdida.

Abigail está em frente a sua equipe de gerência, prestando atenção em algumas questões de *softball* de seus gerentes. Ela está descobrindo muito mais deles sobre como irão lidar com os desafios do ano seguinte do que eles estão descobrindo dela por conta de seu talento em manipular seu caminho até a superfície. Ela vem observando e escutando, mas não perdeu de vista a razão pela qual estão ali. Ela usa a informalidade da reunião para pegar Mike, o responsável pela divisão de expedição, com a guarda baixa:

– Mike, meus parabéns, que mês! Eu estou ansiosa para ver o seu relatório.

– Obrigado – respondeu Mike. – Você sabe que estamos ocupados correndo para todos os lados enviando pedidos, nós só não tivemos tempo para escrever um relatório oficial. Vocês se importam se eu improvisar algo?

Abigail sorri e balança a cabeça de maneira pensativa. Então responde em um tom gentil:

– Na verdade eu me importo, por duas razões. Primeiro: se o seu pessoal está sobrecarregado, eles podem estar se sentindo bem, ou mal, ou próximo a uma rebelião. Um relatório por escrito seria mais adequado a respeito de como a moral da equipe está sob toda essa pressão, fornecendo alguns números concretos sobre a satisfação do cliente. E, segundo, parece-me que você poderia ter feito se tivesse alguma ajuda lá embaixo, mas nós não podemos ajudá-lo se não pedir. Você acha que consegue ter esse relatório pronto na nossa próxima reunião?

Abigail sabe o que ela quer dessa reunião: uma visão profunda e compreensiva da posição de sua empresa neste exato momento – e é bom ter cuidado com qualquer um que fique entre ela e essa informação, como Mike.

> MESMO QUE O AMBIENTE SEJA INFORMAL, FIQUE FOCADO EM CONSEGUIR A INFORMAÇÃO QUE VOCÊ DESEJA.

Manipulando a mídia

Existem momentos em que tudo o que queremos é usar o poder da mídia (e existem outros em que queremos suprimi-la...). Você pode ter um ótimo produto ou serviço, sobre o qual gostaria de espalhar a notícia. Mas como você pode fazer isso? Você precisa de uma história real – algo que seja digno de virar notícia ou que seja muito interessante, e que venda jornais ou atraia espectadores e ouvintes. Nenhum jornalista, editor ou apresentador quer ser um letreiro para você e o seu produto.

Uma maneira fácil de transmitir a sua história é ligando um aspecto do seu produto ou serviço diretamente ao bem da sociedade. Por exemplo, uma das maiores fabricantes de refrigerante do mundo utiliza o seu sistema de entrega em certas regiões para levar medicamentos a comunidades distantes. Isso é interessante e dá audiência e manchetes.

Se você consegue pagar treinamento de mídia profissional, faça isso. Vale cada centavo. Se você não consegue pagar, aqui vão algumas dicas sobre se conectar com a mídia. No que diz respeito à mensagem, você deve informar em vez de vender. Quando se fala do mensageiro, no entanto, os três aspectos-chave de convencer devem estar presentes: credenciais, lógica e emoção. Mantenha a sua mensagem simples. Tenha um ponto central cercado de pontos secundários e repita-os diversas vezes. Desenvolva uma frase rápida e fácil de entender, que faça sentido e mova as pessoas.

EXERCÍCIO

Preste atenção: é simples assim

Em uma conversa, é crucial dar feedback físico e falado para manter a conexão. Mostre que você entende e está interessado usando a sua linguagem corporal assim como a sua voz. O clássico mau manipulador é a pessoa que nunca olha nos seus olhos – que está sempre olhando por cima dos seus ombros nas festas, torcendo por um negócio maior e melhor ou uma pessoa mais importante para conversar. E eles sempre são pegos e ficam ressentidos. Olhe, escute e foque na pessoa com quem você está. Estimular e manter um senso de proximidade induz sentimentos de importância.

Mostre-se curioso. Você descobrirá o que move as pessoas e o que as incomoda fazendo perguntas, permanecendo engajado e atraindo o seu parceiro. Quais são os seus sonhos? Agora? Quando criança? O que o mantém acordado de noite? O quanto iria ajudar saber o que mantém o seu chefe acordado de noite, ou qual dos seus colegas de trabalho são ambiciosos e quais estão satisfeitos?

Em um nível mais básico, considere a história de Penny Hills, que administra um programa sem fins lucrativos no Brooklyn, em Nova York. Ela tem mais de duzentos clientes idosos espalhados por todo o bairro, os quais ela e seus voluntários auxiliam e alimentam todos os dias. Um dia, enquanto passava andando por um prédio de escritórios, viu uma lixeira cheia de computadores velhos. Não prestou atenção. Quando chegou em casa, ela se sentou na sala de estar e, sem fazer nada, observou sua filha adolescente no computador da família examinando e separando e-mails em uma tela cheia deles.

> CONECTE O SEU PRODUTO OU SERVIÇO AO QUE HÁ DE BOM NA COMUNIDADE.

Penny teve uma epifania. "Foi assim que tudo se passou na minha cabeça. Eu percebi que, para a minha filha, e-mail, Facebook e a internet como um todo eram importantes meios de comunicação. Por que não poderiam ser também para os meus clientes idosos? A maioria deles nunca usou um computador. Se eles pudessem aprender, essa tecnologia poderia mudar dramaticamente as suas vidas, colocando-os novamente em contato com o mundo. E para isso não precisavam dos mais novos e rápidos computadores da atualidade. Eu poderia mudar a vida deles se ao menos conseguisse alguns desses computadores corporativos antes que chegassem à lixeira."

Penny não tinha ideia de como começar. As duas primeiras empresas que ela entrou em contato disseram que adorariam ajudar, mas que havia problemas de segurança e responsabilidades em se desfazer dos computadores usados. E todos os seus contatos na mídia disseram que não poderiam fazer uma matéria sobre ela querer computadores ou estar tentando começar um programa. É para isso que a propaganda existe: volte quando você tiver uma história a contar. Foi aí que Penny recebeu um telefonema que mudou tudo. Uma de suas voluntárias tinha as duas coisas de que Penny mais precisava: um computador que ela estava se desfazendo e uma filha adolescente que poderia ensinar um dos clientes da Penny a usá-lo. Agora Penny teve uma grande ideia: fazer um programa de troca de experiências entre gerações. Os idosos receberiam aulas de computação e os adolescentes receberiam créditos escolares por experiência em serviços à comunidade.

Algumas semanas depois, o beneficiário daquele computador, Gil Gerard, um advogado de patentes de 82 anos, mandava e-mails para as suas filhas na França, em São Francisco e em Praga; procurava alguns de seus protegidos na internet; e até dava conselhos sobre patentes para inventores em um *website* de invenções. Agora sim Penny tinha sua história, então ela pegou a sua grande ideia e mandou para todos os jornalistas que ela conseguiu encontrar com o seu comercial de dez segundos: "Suporte técnico jovem para navegadores idosos".

Ela utilizou a história de Gil e sua professora adolescente para mostrar o que o programa estava fazendo pela comunidade – tanto para jovens quanto idosos. Ela não estava tentando vender nada. Não disse que precisava de computadores ou voluntários, mas mostrou todos os três aspectos do convencer: credencial, lógica e emoção. E logo ela conseguiu mais computadores, professores adolescentes e empresas querendo doar do que conseguia lidar.

EXERCÍCIO

O cartão de visita: trate-o com respeito

Nós podemos aprender muito com os rituais japoneses em relação ao cartão de visita. A primeira coisa que executivos japoneses fazem é trocar cartões. A chave para o que se segue pode ser resumida em uma palavra: respeito. Aceite o cartão como se fosse um presente – o que realmente é. Segure com as duas mãos e pare um momento para estudar o que está escrito nele. Se puder, responda ao cartão com um comentário interessante ou alguma observação sobre algo contido nele – o nome da pessoa, credenciais, localização. O que você tem de entender é que o cartão de visita não é apenas o nome de alguém em um pedaço de papel; é a identidade corporativa dela. Trate-o com o respeito que a pessoa merece.

Eu participei de mais reuniões sociais e conferências de negócios do que eu consigo lembrar. Diversas vezes eu vi homens e mulheres de negócios pegando o cartão de visita de alguém, olhando rapidamente o que está escrito nele, virando-o e começando a tomar notas no verso. Nunca escreva no cartão de outra pessoa na frente dela. Se você sente que é absolutamente necessário escrever algo a respeito da conversa e não tem um bloco de notas, pergunte se a pessoa se importa. Isso demonstra boas maneiras e os outros apreciarão o gesto.

Quando toda essa cerimônia termina, coloque o cartão sempre no bolso da frente de seu paletó, em sua bolsa ou carteira – um local que indique respeito. Nunca o coloque no bolso de trás, sobre o qual você vai sentar.

Permaneça no "topo da lista"

Empresas gastam milhões em propagandas, relações públicas e publicidade a cada ano para terem seus nomes e produtos no conhecimento do público. Agora, se você não tem bilhões, seja confiante. Existe muita coisa que pode fazer para se manter vivo na mente dos seus clientes – afinal, qual é a razão de criar uma grande primeira impressão, estabelecer harmonia e transmitir as suas ideias, se os clientes não vão se lembrar de você quando estiverem tomando as decisões? Não é que eles queiram se esquecer de você, mas a maior parte das pessoas leva uma vida muito corrida.

Ser a pessoa certa, no lugar certo e na hora certa, significa estar em destaque na memória de alguém, e não ter sorte. Se você deixar a sua conexão passar a marca dos noventa dias sem renovação, é praticamente certo que será arquivada inconscientemente como "história". Mas, se você mantiver a conexão viva com um contato legítimo, útil e mutuamente benéfico, vai conseguir ficar no topo da lista. Depende de você manter o contato, deixar os seus clientes saberem o que tem a oferecer e como pode fazer a vida deles mais fácil.

Em 2008 eu conversei com milhares de corretores em um evento em San Diego. Como parte das minhas instruções, me disseram que muitos agentes não investiam muito tempo no pós-venda. De acordo com pesquisas, 75% dos compradores e vendedores de casas estavam satisfeitos com seus corretores e disseram que usariam o mesmo agente novamente. A realidade refletiu que somente 15% deles realmente usaram.

Na noite anterior ao evento, conheci o melhor vendedor do segmento internacional, uma pessoa bem-sucedida para qualquer padrão. Depois de umas perguntas divertidas de minha parte, ele compartilhou um dos seus segredos.

– Então, o que faz você ser diferente dos outros? – perguntei.

– Nada – ele respondeu, – na verdade, eu trabalho duro e faço o meu dever de casa.

Então os olhos dele brilharam.

– Bem – disse com um sorriso –, tem uma coisa.

Eu levantei minha sobrancelha.

– O que é?

Eu esperei um pouco enquanto ele bebericou a sua taça de vinho.

– Eu tenho uma conta na Tiffany.

Intrigado, eu pedi para ele me contar mais.

– Duas semanas depois que os clientes se mudam para a casa nova, eles recebem um pequeno pacote via FedEx. Dentro, há uma chave de prata gravada com os nomes deles, o novo endereço e a data em que fizeram a compra. Juntamente com a linda caixa da Tiffany, um simples cartão de agradecimento de minha parte. Não há menção ao meu nome ou nada relacionado a negócios em lugar algum, com exceção do cartão.

Quanta classe! Os novos donos vão contar como receberam um presente e o corretor irá manter-se vivo em suas mentes. Ele não apenas se ligou a uma marca mundial, mas esse simples mimo estará presente, como um soldado, trabalhando em seu benefício.

> PRESENTES NÃO SÃO A ÚNICA MANEIRA DE ALCANÇAR OS SEUS CLIENTES. MANDE UM LINK INTERESSANTE OU APRESENTE UMA PESSOA OU SERVIÇO ÚTIL.

Nem todos conseguem comprar na Tiffany – e mesmo que você consiga, um presente como esse pode não ser apropriado no seu negócio –, mas existem diversas maneiras de se manter no topo da lista. Você pode mandar um link por e-mail ou um recorte de revista que acredita que seu cliente acharia interessante ou que ajudaria no desenvolvimento profissional dele. Pode apresentar dois clientes com interesses mútuos em um almoço. Pode conectar o seu cliente com um novo recurso, como um fornecedor, um fotógrafo ou um arquiteto. Pode assar biscoitos e deixá-los no escritório durante as festas. (Parece brega? Esqueça. Uma planejadora financeira muito bem-sucedida que eu conheço leva biscoitos frescos para alguns de seus clientes. Eles ficam sempre muito felizes em vê-la.) Se você não sabe cozinhar, descubra outra estratégia. Use a sua imaginação e um pouco de KFC (veja a página 37)!

COMO FAZÊ-LOS FALAR

As regras básicas para se conectar com sucesso são: faça-os falar e mantenha-os falando. Permaneça focado, observe ativamente, escute ativamente, dê feedback e incentivo e tenha certeza de que você escuta mais do que fala.

PERGUNTAS

Perguntas são as velas de ignição de uma conversa. Fazer o tipo certo de pergunta ajuda a manter a bola em jogo.

- Faça perguntas abertas, que abrem as pessoas e as mandam direto ao coração e à imaginação. Elas não podem ser respondidas com um simples "sim" ou "não" e frequentemente começam com "quem", "o que", "onde", "por que", "quando" ou "como".
- Evite perguntas fechadas, que retraem as pessoas. Elas podem ser frequentemente respondidas com uma única palavra e normalmente começam com "Você fez/disse?" ou "Você é/está?".
- Use comandos que atingem direto a imaginação: "O que você acha sobre...?", "Conte-me sobre...".
- Fique atento às respostas de seu parceiro e vá fazendo perguntas, sempre demonstrando interesse.
- Tente responder perguntas com outra pergunta. Isso pode ajudar a criar um senso de harmonia.

MANIPULANDO

Quando a conversa ganha movimento, é hora de passar de perguntas educadas e inquisitivas para algo mais pessoal.

- A linguagem do manipulador provoca os sentidos e a imaginação, enquanto falantes factuais apenas perguntam informações. A conversa de um grande manipulador é aconchegante, semelhante a uma fofoca.

- Manipuladores sabem o valor de construir relacionamentos e têm ciência de que a melhor maneira de abordar uma pessoa é ser apresentado por alguém que ela/ele respeita.
- Permaneça focado nos seus objetivos e mantenha-se na linha durante toda a conversa. Lembre-se do resultado desejado e permaneça positivo.
- É crucial dar feedback físico e verbal. Mostre com sua linguagem corporal que você entende e está interessado na outra pessoa.
- Foque na pessoa com quem você está. Esse senso de proximidade entre vocês irá induzir sentimentos de importância no seu parceiro.
- Permaneça curioso. Fazendo perguntas, permanecendo engajado e atraindo o seu parceiro, irá descobrir o que o incomoda.
- Se lhe oferecem um cartão de visitas, trate-o com respeito.

MANIPULANDO A MÍDIA

Informe, não venda. Ligue um aspecto da sua grande ideia e o seu comercial de dez segundos diretamente ao bem da comunidade.

PERMANECENDO NO TOPO DA LISTA

Regularmente, faça um esforço para alcançar os seus clientes e os clientes em potencial. Adapte o seu alcance aos interesses e necessidades do cliente. Você pode mandar um recorte interessante, um link ou apresentá-los a um cliente em potencial. Pode simplesmente levar alguns agrados.

Encontre a abordagem correta

Até agora, nós passamos muito tempo aprendendo como fazer conexões significativas de forma verbal e não verbal. Nós também vimos como trabalhar ideias inteligentes e objetivas para passar mensagens convincentes. Agora é hora de considerar o verdadeiro caminho que você usará para passar essas mensagens. É muito bom fazer as pessoas se sentirem confiantes e receptivas em relação as suas ideias, mas se você não passá-las com a abordagem correta, tudo pode ser uma incrível perda de tempo e oportunidade.

Existem várias maneiras de se comer macarrão – com um garfo, com pauzinhos ou com seus dedos, para citar apenas três. Existem várias formas de passar uma boa notícia – por fax, por sinal de fumaça ou pessoalmente. E existem várias maneiras de encontrar um trabalho – nos classificados, pela internet ou por indicação, quando se constrói uma rede de contatos. O número de abordagens é tão grande quanto a sua imaginação permitir. Na história do encontro de funcionários de Abigail, no capítulo anterior, ela poderia ter escolhido uma abordagem mais formal para analisar a sua empresa, mas escolheu uma abordagem menos formal para conseguir o que queria. O truque é saber como ler a situação para escolher a abordagem correta.

Parte dessa escolha é saber o estado de espírito da pessoa ou do grupo com quem você está. Nós abordamos o poder de ajuste da atitude durante todo o livro. Mas ao se conectar com os outros, a diferença entre sucesso e fracasso pode estar na sua habilidade de ajudar a atitude deles ou, para ser mais preciso, de ajustar o estado emocional *deles*.

Estruturando o contexto emocional do seu encontro

Vamos dizer que você tem uma ideia sobre como simplificar e melhorar a maneira como seu escritório divide as informações de produção e quer persuadir seu chefe a adotar esse sistema. A questão é como fazer com que seu chefe irritado com o excesso de trabalho fique entusiasmado com isso. Às vezes, fazer com que as pessoas mudem de um estado emocional para outro completamente diferente pode ser difícil. Por exemplo, se você pretende mudar o estado de espírito de alguém de indiferente ("Eu estou ocupado", "Eu tenho uma série de outras coisas na minha cabeça", "Isso não pode esperar?") para entusiasmado ("Ótima ideia, vamos fazer isso!") de uma forma precipitada, pode ser um desafio.

Anos atrás, o dr. Richard Bandler e o dr. John Grinder, os gênios por trás da Programação Neurolinguística, identificaram o processo comportamental usado por indivíduos altamente persuasivos. Isto é, eles não somente descobriram *o que* essas pessoas fazem, como também descobriram *como* elas fazem. Eles descobriram que as pessoas com o dom da persuasão, conscientemente ou não, conectam três ou quatro estados emocionais para alcançar o objetivo desejado. Em outras palavras, em vez de ir diretamente do estado A (indiferença) para o estado D (entusiasmo), eles o guiam de A para B, depois C e então D. Ao invés de tentar mudá-lo diretamente de um estado de indiferença para um de entusiasmo, uma pessoa persuasiva experiente pode mudá-lo de indiferente para curioso, daí para receptivo, antes de chegar ao seu entusiasmado. Isso é chamado de estados de conexão e é um modo poderoso de fazer com que as pessoas se conectem emocionalmente com você e/ou com suas ideias.

Uma vez que você decidiu os estados de espírito a serem empregados, a próxima coisa que faria, como uma pessoa com o dom de persuadir, seria se colocar na primeira conexão da corrente. Você não será convincente se não for coerente. O simples ato de se ajustar a um estado de curiosidade vai fazer sua linguagem corporal, tom de voz e escolha de palavras contagiarem os outros. Pratique passar pelos sentimentos de curiosidade, receptividade e entusiasmo várias vezes: dez segundos de cada já está bom. É por isso que eu o fiz pular de um lado a outro no escritório como um canguru ou um puma, ser um ganhador ou um perdedor nos exercícios anteriores. Era para dar a você a disciplina e a flexibilidade de atitudes e comportamentos necessários para liderar e conectar emoções – não somente em você, mas nos outros.

Agora, sobre as palavras que você usa: mesmo que elas constituam apenas 7% da sua mensagem total, devem ser escolhidas com cuidado. Você já aprendeu o valor de uma linguagem sensorialmente rica, como evocar imagens e aguçar a imaginação com palavras. Agora é hora de "muldoonizar" sua conversa incluindo palavras carregadas de emoções. Adotar um estado emocional para si mesmo vai ajudar a trazer as palavras corretas à mente. Para vermos como alguém pode conectar estados para conseguir deixar a outra pessoa preparada para ouvir suas ideias, vamos ver o caso de Joana. Joana sabe que seu chefe, Max, vai para o trabalho de trem e ela sabe que uma ótima maneira de começar um diálogo é com uma pergunta. Max está sentado à sua mesa de trabalho.

– Max, você veio de trem essa manhã?

– Claro.

– Você já conheceu o moço que dirige o trem? Eu não. Mas estava vindo de carro hoje, passando por outros veículos, pessoas e edifícios, e pensei como é curioso que todos os dias milhares de pessoas se levantem e deixem suas vidas nas mãos de completos estranhos. Nós fazemos isso o tempo inteiro. Confiamos nos outros para nos levar ao trabalho com segurança, para tomar conta dos nossos filhos, para preparar refeições... Mas vale a pena, não vale? Confiar nas pessoas abre nossas vidas a possibilidades infinitas: provar novos gostos em restaurantes exóticos, voar pelos ares para uma ilha ensolarada, ou entrar em uma montanha-russa com sua família... você escolhe. Sempre há muitas possibilidades em tudo, mesmo aqui no trabalho. E, escute, o que eu vim falar com você é sobre essa possibilidade. Se nós contratarmos alguns jovens inteligentes como estagiários para ajudar com o trabalho mais básico, vai liberar os assistentes para que possam fazer coisas mais substanciais, o que permite que o restante de nós passe mais tempo gerando novos negócios. Só imagine, daqui a seis meses quando...

Você está lendo somente palavras aqui, desprovidas de linguagem corporal, expressão facial, tom de voz, volume e entonação – são palavras desprovidas de estado emocional. Porém, você pode imaginar que uma vez que Joana alterou seu estado emocional, foi fácil fazer o discurso de forma genuína e sincera e ter os efeitos emocionais disso incentivando o chefe dela. Ela convincentemente moveu-se de um estado emocional a outro e ofereceu um benefício de causa e efeito, antes de conectar a coisa toda a um futuro com "Só imagine, daqui a seis meses quando..." – um jeito certo de engajar a imaginação de seu chefe e o envolver na ideia. E ela precisou apenas de noventa segundos ou menos. Esse é o segredo de bons comunicadores.

Encontre uma oportunidade para escutar um discurso que moveu uma nação, feito por um ótimo comunicador como Martin Luther King Jr., Winston Churchill, Eleanor Roosevelt, Franklin D. Roosevelt,

John F. Kennedy ou Nelson Mandela, e identifique os estados por meio dos quais eles moveram suas audiências antes de estimulá-las à ação. Quando Churchill parecia imponente, você podia sentir isso em si mesmo, e quando ele agia com raiva, podia sentir isso também. Quando Martin Luther King Jr. disse "Eu cheguei ao topo da montanha", o espírito do ouvinte era elevado ao topo junto com ele.

A próxima vez que você quiser que alguém se empolgue com uma ideia, antes descubra qual dos três ou quatro estados emocionais devem ser conectados para fazer com que a pessoa – um cliente, um entrevistador, chefe, time ou audiência – se empolgue com você e/ou com suas ideias. O resultado desejado deve ser uma situação em que todos ganham, ou você encontrará resistência. Joana começou a conversa com seu chefe com uma questão e uma série de "verificadores". Existem questões ou frases que o chefe dela sabia que eram verdades: sim, ele veio de trem; não, ele não sabia o nome do condutor. Verificadores têm o dobro do efeito para engajar uma pessoa e conseguir acordo imediato.

EXERCÍCIO

Estados conectores

Aqui está um exercício charada para ajudá-lo a praticar como se ajustar ao estado emocional de outra pessoa. É mais bem realizado com um grupo de três ou quatro pessoas.

Em pedaços de papel separados, cada uma das pessoas deve escrever três estados emocionais que querem conseguir dos outros. Podem incluir curiosidade, empolgação, tristeza, confusão, alegria, confiança, liberdade, segurança, sensualidade, solidão – o que você quiser. Dobre os papéis, coloque-os em um pote e misture-os.

Pegue um estado no pote e, sem dizer o que está escrito, tente, em trinta segundos ou menos, obter aquele estado dos outros. Você pode usar histórias, metáforas, linguagem corporal e tom de voz, mas não pode nomear o estado. Por exemplo, se você tirar "curioso", provavelmente dirá "Você não acredita no que eu vi na esquina quando estava chegando aqui hoje! Eu estacionei o mais rápido que pude e corri para ver, mas quando cheguei não estava mais lá. Então, vi de novo, mas dessa vez isso estava...". No final dos trinta segundos os outros têm de dizer o que eles estavam sentindo. Se todos não disserem "curioso", peça-lhes que mostrem como interpretaram aquele estado.

Depois que todos jogaram, o grupo repete o exercício, mas dessa vez cada pessoa pega dois estados e tenta fazer com que os outros jogadores sintam-se primeiro de um jeito e depois de outro em sessenta segundos ou menos. Então, tente conectar três estados emocionais em noventa segundos ou menos.

Você pode praticar estados conectores em qualquer uma das suas atividades diárias: encontros, reuniões, socializando, pedindo uma pizza, pedindo um livro emprestado na biblioteca. Isso pode soar estranho, algo não natural, mas é mais simples do que você imagina. De certa forma, você já faz isso; estará simplesmente realçando suas habilidades naturais. Não vai demorar muito até que os estados conectores se tornem sua segunda natureza e até parte do seu estilo de explicação. Como usar essa técnica é com você, seu nível de conforto e sua imaginação. O que eu estou mostrando é a estrutura por trás da abordagem persuasiva.

Agora mantenha o que você aprendeu sobre estados emocionais na sua cabeça, porque isso vai ajudá-lo a alcançar o que quer em praticamente qualquer circunstância.

Conseguindo entrevistas de emprego

Vamos dizer que você está pronto para sair do seu atual emprego. Como você procura outro trabalho? De acordo com o MSNBC*, pessoas que procuram emprego em classificados têm sucesso em apenas 5% do tempo, enquanto a taxa sobe para 66% para aqueles que investem seu tempo criando redes de contatos. O *The*

---

* Canal de notícias da TV americana.(N.T.)

Wall Street Journal relatou que mais de 90% das pessoas conseguem novos empregos e negócios por meio de contatos. Gerentes que estão contratando também preferem esmagadoramente recrutar novos empregados a partir de suas redes. Em um estudo, quase metade revelou que completa 25% de suas vagas antes mesmo de publicá-las, preferindo contatos de dentro e de fora de suas empresas antes de recorrer à uma consultoria de RH ou de propaganda paga.

Como você pode fazer isso funcionar a seu favor? Tente seguir o exemplo do meu velho amigo Alfred. Alfred perdeu o emprego de vice-presidente em uma empresa de empréstimos e investimentos quando ela foi vendida. O que ele não tinha perdido era o talento para fazer conexões – e saber o que fazer com elas. Em três semanas, havia juntado nomes de 134 pessoas que poderiam ajudá-lo em sua busca por um novo emprego. Ele havia se encontrado com 37 dessas pessoas e recebeu três ofertas. E tudo isso aconteceu porque ele sabia como criar redes de contatos.

O plano de Alfred tinha dois passos. Primeiro, ele tentou se encontrar pessoalmente com qualquer pessoa com quem ele pudesse. Depois, ele pegou dois contatos com o máximo de pessoas que conseguiu. Começando pelos seus próprios contatos, telefonou e disse: "Eu quero falar com você sobre uma coisa. Estou procurando emprego. Não estou telefonando para pedir um, mas queria dois nomes de pessoas com quem posso entrar em contato. Como você sabe, tenho... [aqui ele encaixa o seu comercial pessoal de dez segundos, mais suas credenciais]. Eu gostaria de poder usar o seu nome como uma apresentação, não uma referência. Isso é tudo que eu quero".

Quando ele ligou para as pessoas às quais foi indicado, falou: "Eu tomo café da manhã, almoço, janto... faço qualquer coisa para encontrá-lo pessoalmente". O propósito da ligação era fazer com que eles dissessem "Sim, eu vou me encontrar com você".

Alfred estava se mostrando para o mundo. As ligações e as reuniões eram oportunidades para que ele pudesse se expor. Havia uma pequena pressão para que lhe dessem um trabalho, porque tudo o que ele fez foi pedir encaminhamentos.

Entrevista de emprego

Uma entrevista é uma apresentação com você sendo o sujeito. Como em qualquer apresentação, é necessário ter um gancho e um ponto principal, um começo e um fim (para mais informação sobre isso, veja o capítulo 12). E como qualquer apresentador, você precisa aprender como respirar; nós vamos falar sobre isso no capítulo 13. Por ora, vamos abordar o seu gancho.

Lembra-se do seu comercial de dez segundos? Bom, como um publicitário inteligente, às vezes você quer alcançar uma audiência específica. Publicitários olham para um público-alvo – digamos, mulheres de 18 a 24 anos. Você está buscando marcar pontos com uma audiência das nove às cinco. Essa é uma maneira boba de dizer que você deveria customizar o seu comercial de dez segundos antes de entrar em uma entrevista.

> NÃO FAÇA APENAS SUA LIÇÃO DE CASA. UTILIZE TUDO O QUE VOCÊ APRENDEU.

Faça sua lição de casa. Aprenda tudo o que você puder sobre a empresa (e também sobre o entrevistador, se possível). Pegue uma cópia de qualquer livro de vendas e o relatório anual da empresa. Digite o nome da companhia em um site de buscas e veja o quão longe você pode ir. Pesquise em arquivos on-line de negócios e serviços de informações (ainda que isso tome algum tempo, vale a pena). Ligue para qualquer pessoa que você conheça que faça negócio com a empresa ou, ainda melhor, que trabalhe lá. Se tudo falhar, converse com a recepcionista quando você chegar.

O velho provérbio "conhecimento é poder" me deixa louco porque não é verdade. Conhecimento é poder em potencial; não tem muito valor até que você o use. Use sua informação para criar um comercial de dez segundos que se vincule à empresa – que mostre como sua experiência, habilidades e forças o fazem ser a pessoa que eles querem para a vaga, e então faça uma "abordagem de *pub*". Mas não pense que pode fingir. Isso tem de ser real e você precisa passar tudo com emoção.

Follow up (acompanhamento)

Sempre, sempre, sempre acompanhe sua entrevista – isso pode ser o ponto-chave da negociação. Faça isso dentro de 24 horas e com o intuito de ocupar trinta segundos do tempo da pessoa. Você pode enviar uma nota, um e-mail ou deixar uma mensagem no telefone. O meu conselho é deixar uma mensagem na secretária eletrônica depois do horário de trabalho – isso mostra que você não quer interromper o expediente e que está genuinamente interessado. O tom de voz e o significado das palavras são fundamentais. Ajuste a sua atitude antes de ligar e faça isso de pé. Seja animado e cortês. Diga obrigado pela entrevista, mostre entusiasmo a respeito da posição e mantenha seu comercial de dez segundos em mente conforme você reforça algum aspecto positivo da entrevista. Se você escolher uma resposta por escrito, certifique-se de que sua gramática e ortografia estejam perfeitas.

Seja qual for o formato que você escolher, customize sua mensagem, pratique e mantenha essa importante ferramenta de propaganda pessoal o mais perto de trinta segundos que você puder.

Manipulando a conversa ao telefone

Quando você está ao telefone, precisa ter certeza de estar fazendo uma ótima conexão. Não há linguagem corporal para você ler. Suas únicas dicas para o que o seu companheiro de conversa está pensando ou sentindo são as palavras e o tom de voz dele. É tudo o que ele pode ler de você também. Então preste muita atenção em todos esses detalhes e em como você está se expressando.

Lembre-se de que quando você se sente ansioso, a tensão pode ser passada pela sua voz e fazer com que a outra pessoa se sinta da mesma forma. Se você se preocupa com a pessoa do outro lado da linha, ajuste sua atitude antes de fazer a ligação.

Vamos ver uma ligação entre Dennis e Bill, de diferentes departamentos da mesma empresa. Eles mal se conhecem, mas essa conversa poderia mudar tudo:

– Ouça, Bill, aqui é Dennis Evans das aplicações avançadas – a voz de Dennis soou firme e suas palavras saíram rápidas.

– Certo, diga – respondeu Bill deliberadamente, esperando que Dennis seguisse adiante.

– Eu não sei por que eu estou fazendo isso, todos os outros estão de férias, inclusive eu também deveria estar. De qualquer forma, nós tivemos essa ideia para monetizar nosso site por meio da venda de toques de celular, e encontramos a pessoa que pode fazer isso para nós. Tudo que precisamos é que vocês do departamento jurídico façam um acordo com ele. Eu preciso dar à Christine, do departamento de vendas, alguma segurança de que isso vai mesmo acontecer, para que ela possa apresentar ao presidente. E nós precisamos disso para amanhã. – Dennis não havia respirado, nem diminuído o ritmo. Na verdade, ele soava como se estivesse ainda mais tenso.

– Você está de brincadeira? E só está me dizendo isso agora? Você tem ideia de tudo que temos de fazer antes do Natal? Isso vai precisar de auditoria de contas e... – Bill sabia que não deveria responder desse jeito, mas ele não conseguia não evitar passar frustração pela sua voz.

– Eu estou tão cansado de desculpas – Dennis falou mais nervoso. – Nós estamos sob pressão para terminar tudo e o que eu escuto são razões pelas quais as coisas não podem ser feitas. Vocês não podem fazer isso, mas podem fazer aquele acordo de lixo com o holandês que nos deixa com grandes responsabilidades. Vocês podem correr para fazer algo sem valor, mas demoram para fazer algo bom.

Dennis não espera por uma resposta; desliga o telefone assim que termina a frase. E Bill, com a orelha vermelha, desejou nunca ter atendido ao telefone.

Soa familiar? Pois não precisava ser assim. Se Dennis tivesse respirado fundo algumas vezes antes de pegar o telefone, talvez pudesse ter escolhido uma abordagem mais apropriada. Como Bill não podia ver Dennis, a imaginação dele estava sujeita à estimulação. Esse é o momento para usar a linguagem metafórica, rica em sensações. Aqui está como essa conversa deveria ter acontecido:

– Olá, Bill, aqui é Dennis Evans do andar de cima. É hora dos sonhadores e dos fazedores se juntarem.

– O que acontece?

– Só um pequeno presente de Natal para a Christine Burgin, a chefe do setor de vendas.

– Ah, sim?

– E eu preciso da sua ajuda para embrulhá-lo.

– É só dizer.

No primeiro exemplo, Dennis perdeu de vista o que queria; ele estava mais interessado em desabafar do que em se comunicar. No segundo, incrementou a conversa com metáforas: sonhadores em vez de aplicações avançadas, fazedores em vez de departamento jurídico, presente de Natal em vez de acordo. Sutil, prazeroso e efetivo: um bom manipulador não desperdiça o tempo dos outros e, ao mesmo tempo, não corre com as coisas. Agora há uma chance de que o trabalho possa ser terminado.

NO TELEFONE, SEU TOM DE VOZ E RITMO SÃO TÃO IMPORTANTES QUANTO AS PALAVRAS.

Cold call[*]

Simplesmente tão importante quanto os mais difíceis noventa segundos nos negócios é o primeiro minuto e meio de uma *cold call* – mas eles podem ser necessários. Muldoon uma vez me disse que as pessoas que fazem três vezes mais ligações que seus concorrentes são quatro vezes mais bem-sucedidas.

O pessoal de vendas bem treinado de hoje em dia sabe o valor de construir relacionamentos através da criação de redes, da retenção de clientes, do envolvimento em grupos de negócios, das referências de clientes satisfeitos, das falas em público e das autoridades proeminentes. Mas eles também sabem que, se você quer aumentar suas vendas, precisa de novos clientes.

EXERCÍCIO

Truque da mente

Como você gostaria de ser capaz de influenciar o resultado de questões fechadas – aquelas questões do tipo "Você fez/disse?" e "Você é/está?"? Aqui vai algo que eu ensino ao pessoal de recepção, mas é possível adaptar esse trabalho a você em quase qualquer situação. É uma forma de passar a resposta que você quer para a questão. Isso funciona em diversas situações por causa da coerência e sincronia – dois instintivos aspectos do comportamento humano ao qual eu já me referi diversas vezes nestas páginas.

Você está em um voo. O comissário de bordo está se movendo pelo avião, relaxando um pouco depois do lanche que foi servido. O tempo é curto. Como os comissários o fazem ficar sem pedir outra xícara de café ou taça de vinho mesmo quando dizem gentilmente "Algo mais?"? Eles quase imperceptivelmente balançam a cabeça em negação enquanto fazem a pergunta. Tente isso você mesmo. Pergunte "Você quer marcar uma reunião de acompanhamento?" enquanto sutilmente faz "não" com a cabeça. Há uma forte probabilidade de que a resposta seja negativa. Se você acenar um quase imperceptível "sim", as chances são de que a resposta seja positiva.

---

[*] Tipo de telemarketing ativo, quando a empresa liga mesmo sem saber se a pessoa quer o serviço que está oferecendo. (N.T.)

E conseguir novos clientes significa fazer novas conexões. Wendy Kohler, fundadora do TalentedWomen.com, criou um programa de entrevistas na TV; assinou com oito grandes patrocinadores; reuniu uma lista de convidados importantes da mídia, do governo e da indústria; e conseguiu que um canal de TV assinasse um contrato gordo – tudo por meio de *cold calls*. Como ela fez isso tudo quando todos os seus contatos, com exceção de um na verdade, eram completos estranhos? Como muitos representantes de vendas, ela fez algo similar ao que Alfred fez: diminuiu a pressão. As primeiras ligações foram para pedir indicações; ela não tentou vender logo de cara. E essas ligações e pedidos por indicações deram a ela a oportunidade de expor sua ideia, passar o seu comercial de dez segundos e suas credenciais, espalhando suas palavras sem pressionar a pessoa, sem comprometê-la. Quando ela começou a ligar para patrocinadores em potencial e convidados, já tinha fortes apresentações e tinha feito um bom anúncio de seu projeto. Quando estava fazendo as pessoas assinarem, na verdade, elas já queriam fazer negócio – não foi preciso vender nada. A conexão estava lá antes mesmo de encontrar essas pessoas.

Essa técnica funciona muito bem no escritório. Você está tentando iniciar um projeto? Fale com seus colegas de trabalho sobre quem poderia estar apto a ajudá-lo antecipadamente. Quem poderia se beneficiar do sucesso desse projeto? Diminua um pouco a pressão e você descobrirá que aquelas pessoas que podem ajudá-lo estão muito mais dispostas a participar.

Socializando

Cerimônias sociais relacionadas a negócios são sobre encontrar pessoas e fazer conexões, não sobre comer bem ou se divertir. Você deveria se preparar para elas como um atleta se prepara para uma competição. A seguir, algumas coisas para manter em mente.

Saiba o que você quer

Socializadores sazonais sabem por que estarão presentes em um evento muito antes de entrarem no lugar. Seja para checar a competição ou para descobrir quem pode estar inquieto, quem está fervendo ou quem está contratando, você tem de saber o que quer da noite e definir objetivos.

Ajuste sua atitude ou vá para casa

Lembre que sua atitude precede seus atos. Você cria uma imagem muito antes de abrir a boca, então esteja seguro ao entrar no lugar com uma atitude realmente útil. Faça contato visual direto e sorria.

Seja apresentado

A melhor maneira com a qual se pode abordar alguém é sendo apresentado por uma pessoa que ele ou ela respeitem. Faça disso um hábito: apresente as pessoas e o favor terá retorno. Se você não conhece ninguém, apresente-se. É perfeitamente normal e aceitável se aproximar de um estranho, olhá-lo nos olhos, sorrir, abrir sua linguagem corporal, estender a mão e se apresentar: "Oi, eu sou Anna Osborne do Grupo Cigna. O que você está achando da conferência até agora?" Tenha certeza de que você tem seus cartões de visita e seu comercial de dez segundos preparados. Algumas pessoas até incluem o comercial, discretamente, em seus cartões.

Mantenha-se focado

Mantenha-se focado em cumprimentar e encontrar pessoas e em entrar em conversas. Faça contato visual, encontre assunto em comum. O bar e a mesa de aperitivos são para os outros – não para você. Foque na pessoa com quem você está falando, analise o lugar para antecipar a sua principal ameaça. Se você notar alguém com quem quer ou precisa falar, termine sua conversa e graciosamente peça licença antes de se mover em direção à outra pessoa ou grupo. Boas maneiras fazem a diferença.

Junte-se a um grupo

Se há alguém com quem você realmente quer ou precisa conversar e ele já está em uma conversa, escute antes de entrar no meio. Faça contato visual com a pessoa com quem você quer falar, sorria e escute até que ela o inclua ali. Apresente-se quando houver uma pausa. Se você sente uma vontade incontrolável de adicionar algo relevante à conversa e não consegue um convite verbal ou não verbal para participar, dê o primeiro passo, mas certifique-se de se apresentar em seguida com um sorriso e contato visual.

Vamos almoçar

Em todo o mundo, mais negócios são praticados em restaurantes, bistrôs e cafés do que em escritórios, fábricas ou no banco de trás de automóveis. Compartilhar o espaço do pão em um ambiente neutro é um modo incrível de avaliar as pessoas, fortificar relacionamentos e, com certeza, algumas vezes discutir negócios. Claro, esse é o lado bom, mas também existe o ruim: é também um lugar brilhante para mostrar sua falta de maneiras, suas habilidades de conversação questionáveis e sua falta de habilidade em se manter focado e ser gracioso ao mesmo tempo.

Almoços de negócio dependem totalmente de estabelecimento de harmonia. Comece procurando por assuntos em comum mesmo antes do encontro. Alguns dias antes, folheie um jornal e vasculhe a internet procurando as novidades que se relacionam aos negócios da outra pessoa. Se não há notícias sobre a empresa dela, preste atenção às histórias que acontecem no dia, pois são assuntos em comum instantâneos (mas fique longe de política).

Se você leva clientes regularmente a restaurantes, é importante desenvolver um relacionamento com certo número de estabelecimentos, vamos dizer, um bistrô mais formal, um bar mais elegante e um café de alta qualidade, ou qualquer outro adequado para você e sua carteira. Tenha certeza de que os lugares que escolhe tenham a atmosfera adequada para negócios. Além de limpeza, reputação e acessibilidade, tenha em mente três coisas: o lugar tem uma boa aparência? É confortável? Vocês poderão conversar sem gritar (ou ter outros escutando)? Conheça os funcionários. Afinal, você investiu tempo e dinheiro conhecendo o seu negócio e aprimorando suas habilidades. Agora vá e invista um pouco em conhecer o gerente, o cozinheiro e os garçons – essas pessoas podem ser ferramentas tão importantes para seu negócio assim como a sua maleta e o seu BlackBerry.

No campo de golfe

Thomas vende produtos financeiros. Na verdade, ele faz isso muito bem, mas alguns de seus colegas de trabalho se perguntam como ele tem um ótimo número de vendas e também um bronzeado o ano inteiro.

"Às vezes, eu simplesmente preciso sair do escritório para conseguir fazer qualquer negócio", diz Thomas, rindo. Ele apelidou os seus jogos de golfe de "chamadas de venda de quatro horas", mas quando pressionado um pouco admite que é simplesmente uma maneira muito boa de construir relacionamentos e ter algum tempo de qualidade com seus clientes.

Um jogo de golfe é a oportunidade que ele encontrou de ter quatro horas para juntar informações de forma ininterrupta e, ao mesmo tempo, construir conexões que ele nunca poderia conseguir em um escritório, onde os telefones estão tocando e uma crise entra pela porta toda vez que surgem coisas boas. Eu seguia Thomas no carro de golfe pelo campo e nós conversávamos entre uma tacada e outra.

– Eu uso os primeiros seis buracos para me conectar e fazer a conversa fluir – diz Thomas. – Uso uma conversa fiada educada e curiosa para saber mais sobre meus clientes, suas famílias, interesses e histórias.

Ele dá uma linda tacada com seu taco de ferro e sorri enquanto a bolinha vai em direção ao buraco.

– Eu gentilmente procuro coisas que temos em comum e, quando as encontro, sei que o relacionamento vai esquentar. Uso os próximos seis buracos para aprender sobre a natureza dos negócios do cliente e encontrar áreas de propostas comuns.

Ele pausa para pegar seu taco de madeira em sua bolsa.

– Notei que a atitude e o lado físico do jogo mudam quando nós conversamos assim. Algumas pessoas se tornam mais agressivas, outras mais relaxadas.

Bum. Aquela tacada deve ter alcançado perto de 220 metros direto para o meio. Thomas sorri para mim enquanto continua:

– Nós usamos os últimos seis buracos para falar sobre as demandas mais necessárias dele e o que a minha empresa e eu podemos fazer para ajudá-lo. Eu nunca entrego um formulário de pedido ou começo a falar sobre acordos durante o jogo, mas você pode acreditar que sou a primeira ligação dele na manhã seguinte.

Enquanto joga o seu taco de madeira de volta na mala de golfe, Thomas diz:

– O segredo aqui e nos negócios é que, uma vez que você deu a tacada, deve ter um ótimo acompanhamento.

Há uma série de fatores que causam impacto no seu sucesso em conexões de negócio. Ter uma boa primeira impressão, parecer feliz e confiante, demonstrar senso de curiosidade e mostrar flexibilidade são de suma importância. Esses são fáceis de alcançar se você está confiante nas suas habilidades de gerenciar e direcionar a corrente de emoções dos outros. Conectar estados emocionais não vai apenas fazer você e suas ideias mais atrativas e mais memoráveis, mas também vai dar força, compromisso e foco. Aproveite o processo, melhore praticando e veja como seu nível de confiança vai subir.

ENCONTRE A ABORDAGEM CORRETA

Estados conectores. Pode influenciar a atitude com a qual você e suas ideias serão recebidas. Descubra quais estados emocionais se conectam para levar as pessoas de onde estão agora para onde você quer que estejam. Utilizando sua própria atitude, uma linguagem sensorialmente rica e corporal, pratique conectar estados emocionais em casa e no trabalho, como uma brincadeira. Pratique, pratique, pratique!

Entrevistas de emprego. Pesquise sobre a empresa antes da entrevista. Use a informação que você adquirir para criar um comercial de dez segundos convincente que o conecte à empresa – um que mostre como suas experiências, habilidades e pontos fortes fazem de você a pessoa ideal para o trabalho.

Ao telefone. Não há linguagem corporal para você ler ao telefone, sem dicas do que o seu parceiro está pensando ou sentindo exceto por suas palavras e seu tom de voz. Da mesma forma, ele não tem como saber o que você está pensando ou sentindo. Então, deve estar atento em como soa e como se expressa. O seu tom e o seu ritmo são simplesmente tão importantes quanto as palavras que você escolhe.

Socializando. Aproveite um almoço de negócios ou outra ocasião social para se conectar, explorar e dividir. Para socializar mais efetivamente, lembre-se de saber o que você quer, ter uma atitude útil e uma linguagem corporal aberta, ser apresentado, estar focado em fazer conexões e juntar-se a um grupo se precisar.

12

Os segredos dos bons comunicadores

Minha introdução à arte de fazer apresentações veio, naturalmente, de Francis Xavier Muldoon, no final dos anos 1960, no Savoy, o hotel mais luxuoso de Londres. Em uma tarde de novembro eu o segui pelo hall de carpete persa até uma sala de reuniões.

– Duzentos lugares? – Muldoon perguntou ao recepcionista quando entramos.

– Sim, senhor. Teatro e não auditório – o recepcionista respondeu e Muldoon lhe deu uma gorjeta.

– Obrigado, Peter.

– Mas, Francis – eu disse enquanto Peter se retirava –, você não quer que eu arranje mais lugares?

– Por que você faria isso? – respondeu Muldoon, andando em direção ao palco.

– Nós temos 233 confirmações.

Eu já deveria saber. Muldoon não cometia erros.

– Nicko – ele falou, com aquele brilho nos olhos, – a maior parte das empresas reserva uma sala de 500 lugares quando tem

450 pessoas registradas para um evento. Sessenta não aparecem e a sala fica metade vazia. Se vou me apresentar para 450 pessoas, eu vou reservar uma sala para 350 lugares, manter algumas cadeiras de reserva e ficar com o lugar cheio. Um lugar com pessoas em pé cria uma atmosfera de sucesso. Já uma sala meio vazia dá a ideia de fracasso. Você entende o meu ponto?

Eu entendi.

Aqueles eram os "anos dourados" e Londres liderava o mundo na música, na moda e na arte. Cream, Rolling Stones e Beatles surgiam de rádios amadoras. Twiggy, a primeira supermodelo do mundo, posava para a *Vogue* em Carnaby Street em uma roupa de Mary Quant, enquanto os membros do *Monty Python's Flying Circus* marchavam pela cidade como mulheres idosas de sobretudo e bobes no cabelo, e James Bond salvava o mundo em seu Aston Martin DB5. Era uma época glamorosa e entusiasmante para trabalhar com publicidade.

Meia hora depois, a sala estava cheia de executivos de publicidade, analistas, investidores da mídia, o pessoal de vendas do nosso próprio departamento de propaganda da revista *Woman* e algumas pessoas da editoração. Eu contei 18 pessoas em pé depois de muito empurra-empurra por lugares. Muita energia. Boas vibrações.

Muldoon subiu ao palco e esperou até que a sala ficasse em silêncio. Então, sem nem um "Olá" ou "Bem-vindos" ou um "Obrigado por virem", ele segurou no alto a edição mais recente da revista.

Olhando solenemente ao seu redor, ele deliberadamente rasgou as costas da revista. Então a chacoalhou e declarou vagarosamente:

– Qualquer um que pagasse 7 500 libras por isso seria um lunático!

Quando a plateia se sentou, confusa e em silêncio, ele quebrou o clima com um sorriso, juntou subitamente a página rasgada ao restante da revista e anunciou:

– Mas anexe isto a isto e você tem o veículo mais poderoso e com melhor custo-benefício que este país tem para passar a sua mensagem para quatro milhões de mulheres ávidas e consumistas. E por que a revista é tão popular? Por que tantas pessoas a leem e confiam nela? Porque toda e cada publicação é uma edição que se deve ter, recheada de notícias quentes de celebridades, suculentas fofocas de televisão e tocantes histórias da vida real. É a escolha número um para informações do estilo de vida do momento, das mais novas ideias para comidas saudáveis e inspiradoras ofertas de viagens.

O tempo passou tão rápido: trinta segundos! E Muldoon tinha uma sala cheia de pessoas estáticas.

– Nós estamos a menos de cinco minutos de Covent Garden – continuou Muldoon, segurando a revista em sua mão –, onde frescor, variedades, excelentes valores, conhecimento especializado, altos padrões, e...

Pelos dois minutos seguintes, ele evocou imagens incríveis do mercado, o maior da Inglaterra, como um contraponto para o que ele realmente estava falando – a revista. Ele continuou descrevendo como se aproveitar do alcance da revista. Virando as páginas sem muito cuidado, ele disse:

– Quatro milhões de pessoas entram lá todas as semanas não porque passaram por ali, mas porque tomaram uma decisão consciente de fazer isso. É parte de suas rotinas.

Muldoon mudou para comparações mais diretas:

– A *Woman* é mais ou menos como o mercado de Covent Garden. O mercado, assim como a revista, tem seções para comer e beber, cultura e entretenimento que geram resultados mensuráveis para seus parceiros de negócios. O mercado, como a revista, tem seções sazonais que continuamente inspiram novas ideias e moda.

Ele lhes apresentou números de circulação, perfil de leitores e taxas de resposta, todo o tempo fazendo um paralelo à experiência que ele havia criado na mente da audiência – o mercado. Isso não era evidente, mas Muldoon sabia que sua plateia, quando fosse tomar suas próximas decisões de propaganda, iria ligar a revista a todas as imagens sensoriais evocativas que ele havia criado.

Após quatro minutos e meio ele entrou em seu final interativo. Eu estava parado na porta, pronto para fazer a minha parte.

– Antes que vocês tomem seu caminho hoje... – essa era a minha deixa. Eu abri a porta do lado esquerdo do palco e quatro lojistas de Covent Garden entraram puxando dois carrinhos de mão. Todos os olhos se voltaram para os carrinhos. – Nós queremos presentear a todos com um símbolo de nossa gratidão por estarem presentes nesta tarde.

A audiência aplaudiu.

Os carrinhos tinham caixas de papelão empilhadas do tamanho de pequenas maletas. Na frente de cada uma, a capa da última edição da *Woman*; nas costas havia um sumário da apresentação, desenhado para evocar os sabores do mercado; no meio estavam depoimentos de anunciantes; e dentro da caixa havia uma combinação de frutas, queijos, nozes e, obviamente, a última edição da *Woman* em um saco plástico transparente. Muldoon era inteligente. Ele sabia que a maior parte das pessoas iria direto para casa depois que terminasse sua apresentação e examinaria o pacote em sua jornada.

Capture a imaginação e capture o coração

Um pouco mais tarde nós saímos do Savoy, cruzamos a Avenida Strand e começamos o caminho de cinco minutos para o escritório. Já eram quase 17 horas quando nós passamos pelo Nag's Head Pub, um bar famoso frequentado por pessoas de jornais, revistas e anúncios daquela época. Meu chefe disse:

– Venha. É muito tarde para voltar para o escritório. Vamos celebrar.

O Nag's estava barulhento e lotado de editores, vendedores de anúncios, artistas e a multidão que acompanha os negócios de impressão incessantemente. Havia muitas risadas, canecas fazendo *tim-tim* e conversas sobre as aventuras do dia. Muldoon apertou algumas mãos e bateu em algumas costas. Do nada, apareceu na minha mão um *pint* da melhor bebida e nós nos juntamos àquele clima de festa.

Muldoon apontou com a cabeça para uma mesa vazia ao lado da janela. Eu abri caminho e puxei uma cadeira.

– Ok. Hora do feedback – ele se sentou na minha frente com uma taça de clarete na mão. – O que você notou? O que você viu?

> Tenha certeza de que sua audiência, seja de uma pessoa, seja de mil, sabe por que está ali o escutando.

Isso soou mais como um título de uma música do que como um de seus interrogatórios.

– Muita coisa – por onde começar? – Você os fascinou.

Muldoon levantou suas distintas sobrancelhas e sorriu.

– Quando você rasgou a página e disse "Qualquer um que pagasse 7500 libras por isso seria um lunático", eles não conseguiam tirar os olhos de você. Realmente chamou a atenção deles.

– Excelente – ele bebericou seu clarete.

– O seu ponto estava lá o tempo todo, também: "o veículo mais poderoso e com melhor custo-benefício que este país tem para passar a sua mensagem para quatro milhões de mulheres ávidas e consumistas".

– Muito bem. Você se lembrou da regra de ouro: *Sem um ponto? Sem apresentação.* Nada irrita mais uma audiência do que não saber o que está fazendo lá. O seu ponto deve conter uma causa e um efeito ao qual os ouvintes possam se relacionar. Faça X e esse desejado resultado acontece. Não faça isso e Y acontece. O ponto captura razão e lógica. Significa que sua apresentação faz sentido. Então, tudo o que você tem de fazer é provar o seu ponto. Antes que você possa convencer uma audiência de qualquer coisa, tem de capturar a atenção dela. Faça isso e você vai capturar o interesse dela. Uma vez que você tem o interesse da audiência, pode provocar a imaginação dela. E o coração vai seguir com certeza – ele olhou para a garçonete e balançou a cabeça. – Capture a atenção da garçonete também, e a comida com certeza virá.

Shish kebabs

Eu pedi *fish-and-chips*. Muldoon escolheu um prato chamado espetada. O menu dizia que isso era "uma comida típica portuguesa feita de pedaços de carne vermelha passada em alho e sal, assada e servida em um espeto pendurado em um gancho com um suporte". Era na verdade simplesmente um *shish kebab* emperiquitado.

– Nicko, 80% do tempo as pessoas não têm ideia do motivo pelo qual fazem as coisas. Elas tomam suas decisões baseadas em emoções, no que seus corações imaginam que querem, mesmo que elas pensem que estão sendo racionais. Uma vez que você entra na imaginação de alguém com suas palavras, pode desencadear uma reação que cria imagens, sons, sentimentos, cheiros e gostos. Uma reação sensorial que dá vida às palavras e as tornam reais.

Ele apontou pela janela para o outro lado da rua.

– Você vê aquele caminho que leva à estação de metrô? Um pedinte cego costumava se sentar ali antes que limpassem essa área. O velho homem tinha uma placa em seu colo com apenas duas palavras: "Sou cego". Os que passavam ali de vez em quando jogavam trocados em seu boné, mas eram de baixo valor. Então, em uma manhã ensolarada de abril, um dos publicitários juniores do escritório perguntou se podia adicionar algumas palavras à placa. O cego disse que sim; ele reconheceu a voz do jovem moço como alguém que normalmente lhe dava algumas moedas e lhe desejava boa sorte. O publicitário virou a placa e escreveu cinco palavras, deixando-a no colo do homem. No fim do dia, o publicitário parou para ver como as coisas estavam indo. O cego disse que não podia acreditar ao ouvir as moedas caindo aos montes. "O que você escreveu na minha placa?", ele perguntou. "Não muito. Eu só adicionei três palavras", o publicitário respondeu. "Três palavras fizeram tanta diferença?" "Três palavras que provocam a imaginação fazem." O pedinte insistiu que o jovem rapaz lhe contasse o que havia escrito.

Muldoon tomou um gole longo e demorado de seu clarete.

– Certo. Onde está a comida?

– Então? O que ela dizia?

– O que o que dizia?

– A placa.

– Ah, isso. Capturei seu interesse, não é? Com a minha pequena história.

Eu ri.

A garçonete chegou equilibrando a comida. O *fish-and-chips* estava dourado e crocante. As espetadas vieram com purê e cebola – o toque da comida de bar.

Muldoon abriu um guardanapo e prendeu uma ponta em seu colarinho como um babador. "Sim. Como um babador."

– A placa, Frank?

– Ah, isso. Dizia: "É primavera. E sou cego."

– Ah! Inteligente. Isso fez as pessoas pararem e pensarem... imaginarem como seria ser o pedinte – eu disse. – E isso capturou alguns corações.

– Exatamente. E mais: isso capturou carteiras também. – Muldoon limpou seus dedos no guardanapo e bebericou seu clarete. – Toda a boa comunicação acaba tendo algumas palavras emocionais e cativantes. Elas deveriam apertar quatro botões – continuou sem pausar: – atenção, interesse, desejo e ação.

– Uma boa apresentação é como um *shish kebab*. É um apanhado rápido com um gancho, uma ponta, alguma carne e um som de fritura. Por apresentação, eu quero dizer qualquer coisa que você faça para convencer os outros a realizar uma ação – ele pegou seu garfo. – O gancho chama a atenção deles como uma chamada na televisão. Aqui está seu A.

Ele bateu no gancho metálico com seu garfo. Estalo.

– Atenção.

– O ponto diz por que eles deveriam estar interessados. O que eles ganham com isso. Esse é o seu I – estalo. – De interesse. A carne – ele continuou, – é a parte lógica; os fatos e figuras que dão suporte ao seu ponto e então o fazem ter sentido. O som de fritura é a parte divertida, o emocional, memorável, a parte satisfatória para misturar tudo à razão e à imaginação deles e despertar o desejo. Esse é o D.

Ele inclinou-se para a frente e cheirou o *kebab*. Então voltou para trás.

– E se a coisa toda parece boa e cheira bem, você arregaça as suas mangas e... – estalo, estalo. – A é para ação. Agora vamos comer.

EXERCÍCIO

A receita de um *shish kebab*

Um *shish kebab* tem só quatro ingredientes: um gancho, uma ponta, alguma carne e um som de fritura.

Um gancho. Alguma coisa que capte a atenção da sua audiência desde o começo. Muldoon tinha uma tendência a ganchos dramáticos, como jogar envelopes no chão (veja página 19), rasgar a contracapa de uma revista e usar a palavra lunático. Mas você pode usar um gancho físico, como uma venda para demonstrar que uma organização está perdida ou fingir que não pode tirar suas mãos dos bolsos por trinta segundos para ilustrar restrições de orçamento. Outra forma cativante de abrir uma conversa é fazer citações provocantes, mencionar uma estatística assombrosa ou citar uma manchete chocante.

Uma ponta. Uma única e breve mensagem passada em uma voz positiva. "As pessoas que estão à frente hoje são as que..." e não "As pessoas que não estão à frente hoje são aquelas que não..." A ponta deve passar por tudo, porque toda a sua apresentação deve provar o seu ponto. Tenha certeza de que sua apresentação responde as três perguntas: "E daí?", "Quem se importa?" e "O que eu ganho com isso?".

Três pedaços de carne e um som de fritura. Nesse contexto, os pedaços de carne são os dados concretos que seus ouvintes precisam saber para estarem aptos a tomar uma decisão: custos, condições de mercado, concorrência, ritmo dos negócios, suporte, vendas, ou o que for pertinente para decidir seguir adiante. Foque em três pontos-chave. O som de fritura pode ser um suporte (um guarda-chuva, uma capa, um taco de golfe), uma interação, uma anedota (mas evite piadas, porque, a menos que todos as entendam, você vai acabar dividindo a audiência) ou um envolvimento da audiência (perguntar se alguém se lembra – ou já esqueceu – de uma palavra ou número, ou qualquer coisa que faça com que um ou todos digam alguma coisa). Muldoon se apoiava em encenações teatrais para transmitir fervor. Ele congelava em seu caminho por um segundo e segurava sua respiração. Seus movimentos eram precisos e fazia muito contato visual com sua plateia.

No final, reafirme seu ponto. Você pode sempre se apoiar em encerramentos testados e aprovados, como "A moral da história é...".

Encerre com algo que requeira a participação da audiência e uma chamada à ação. Deixe seus ouvintes com um passo concreto que precisam para "fazer isso se realizar". Peça para que deixem uma mensagem escrita de uma frase-chave ou lhes dê um saquinho de chá e solicite que revisem o material enquanto tomam o chá mais tarde – qualquer coisa que faça com que realizem algum tipo de ação.

I-KOLAs*

Nós mastigamos satisfeitos em silêncio por alguns minutos. Então Muldoon limpou sua boca, tomou um gole de água e falou:

– Aliás, isso é uma "I-KOLA".

Eu balancei a cabeça. Eu não tinha ideia do que ele estava falando, mas sabia que ia me explicar, então fiquei quieto.

– Eu lhe falei antes que uma boa apresentação é como um *shish kebab*. Mas um *shish kebab* é só uma de três técnicas para fazer com que as pessoas ajam conforme suas ideias. Na verdade, quando eu digo

---

* A expressão "I-KOLA" foi mantida em inglês e é formada pelas iniciais da expressão *It Is Kind Of Like A.* (N.T.)

"uma boa apresentação é como um *shish kebab*", estava usando uma segunda técnica. Eu a chamo de I-KOLA. I-KOLA é um acrônimo composto de letras iniciais das palavras "é mais ou menos como um/uma". Precisa de um exemplo? Que tal "Nosso novo sistema de monitoramento é mais ou menos como uma palmeira. Ele nos deixa...". Ou "Martha lida com trânsito mais ou menos como um cutelo lida com carne". É uma maneira de representar um conceito complicado com uma simples imagem. Uma imagem de um *shish kebab* é muito mais fácil de ser lembrada do que uma série de páginas com informações. Lembre-se, Nicko, fatos e números passam rápido, mas uma imagem ou uma história duram para sempre.

– Como hoje – respondi –, quando você disse "a revista *Woman* é mais ou menos como o mercado de Covent Garden". Colorida. Fresca. Viva.

– Você tem de usar sua imaginação para capturar a imaginação deles.

Ocorreu-me que se eu tivesse que usar I-KOLA para definir Muldoon, eu o classificaria "mais ou menos como uma árvore de Natal". Claro, brilhante, reconfortante e cheio de surpresas.

I-KOLAs em ação

Um dos meus clientes direcionou seus engenheiros de TI e vendas para "evangelizar" o novo sistema de processamentos deles em todas as oportunidades. O problema era que ninguém conseguia explicar os benefícios do novo sistema em termos simples. Claro que, se oferecidos dez minutos, cada um podia descrever como o sistema funcionava e bombardeá-lo com jargões, mas ninguém – nem mesmo o presidente da empresa – conseguia colocar isso em linguagem "evangelizável". Para resolver o problema, nós aplicamos a técnica I-KOLA de Muldoon ao sistema e, no fim do dia, tínhamos concordado com essa descrição do *software*: "GX2 (nome fictício) é mais ou menos como viajar com seu cliente em um navio com fundo de vidro. Vocês podem ver o que está acontecendo com o sistema ao mesmo tempo".

Outro cliente, um grande escritório de arquitetura, estava tendo problemas com uma desconexão entre arquitetos e administradores da empresa. Eles estavam tendo problemas em colaborar, porque muitos arquitetos viam os administradores como um incômodo e os administradores, por outro lado, viam os arquitetos como não cooperativos.

I-KOLAs dão às pessoas um simples e evocativo ponto de entrada para um conceito complicado.

Nós aplicamos a técnica I-KOLA ao dilema deles e chegamos à seguinte analogia: "ArchiTech (nome fictício) é mais ou menos como uma galeria de arte. Os administradores se certificam de que a galeria abra no horário, trabalhe sem problemas e pague suas contas. Os arquitetos são os ótimos artistas que todos vêm ver".

Nem todas as frases I-KOLA são no formato "é mais ou menos como...". Quando lhe pediram que explicasse o déficit comercial, Warren Buffet disse: "Nosso país vem se comportando como uma família rica com uma imensa fazenda. Para consumir 4% a mais do que eles produzem – esse é o déficit comercial –, nós temos, dia após dia, vendido pedaços da fazenda e aumentado a hipoteca do que ainda temos". Brilhante. Ele explicou um conteúdo complexo de uma forma que uma criança de dez anos poderia entender.

Adotar uma I-KOLA faz com que conceitos complicados soem simples, interessantes e memoráveis. Elas são excelentes para resolver problemas, criar ideias, convencer, motivar, ensinar e gerar um entendimento de personalidade e relacionamentos. Deveria demorar entre três e trinta segundos para passar uma I-KOLA.

Vamos dar uma olhada nesse simples mecanismo em ação. Há algum tempo, me pediram para dar uma palestra magna numa empresa para ajudar a lançar um novo sistema de *software*. Eu marquei um telefonema informativo para me atualizar. Depois de dez minutos, o planejador da reunião se deu conta de que, independentemente de deixar todos avisados de que um novo sistema iria ser implantado, ele não tinha realmente um tema para o lançamento.

– Tudo bem – disse. – Vamos tentar uma coisa. Eu quero que você diga a primeira coisa que lhe vem à cabeça para completar a frase que eu vou falar. Eu não me importo com o que seja, mas tem de ser a primeira coisa. Pronto?

– Sim.

– O novo sistema é mais ou menos como um...?

Houve uma pausa curta do outro lado da linha, então:

– Eu não sei de onde veio isso, mas a primeira coisa que eu vi foi um trem.

– Ótimo – eu disse. – Fale-me sobre o trem.

– Estava indo para a direção errada já fazia um tempo.

– O que mais?

– Nós conseguimos pará-lo e virá-lo. Agora sabemos onde os controles estão e o trem está no caminho certo – ele estava no ritmo. – Nós estamos prontos para colocar todos a bordo e lhes mostrar onde sentar, e então levá-los para a direção correta.

– Excelente – eu disse. – Como você se sentiria em usar um "Todos a bordo" como tema para a reunião?

Era uma frase simples, mas boa o suficiente para deixar todos pensando da mesma forma.

EXERCÍCIO

Flutue como uma borboleta. Ferroe como uma abelha.

Em 1964, Muhammad Ali (então Cassius Clay) chamou a atenção do mundo do boxe quando se referiu ao campeão peso-pesado Sonny Liston como um "urso grande e feio" e declarou que ele mesmo iria "flutuar como uma borboleta e ferroar como uma abelha". Suas palavras evocativas são um bom exemplo de analogia e metáfora. Uma analogia é uma maneira de comparar uma coisa a outra por meio do uso da palavra *como* e da expressão "tão... quanto". "Falar com a expedição é como falar com uma parede" e "A recepcionista é tão legal quanto um pepino" são duas analogias. A metáfora é quase a mesma coisa, exceto que não se usa "como" ou "tão... quanto" para fazer a comparação. "Nós somos um forte rio criando nosso próprio caminho" é uma metáfora, assim como "Quem está na chuva é para se molhar".

Por uma questão de simplicidade, Muldoon aglomerava analogias e metáforas e as chamava de I-KOLA. Uma vez que você entende isso, pode omitir o "é mais ou menos como um/uma..." se quiser. I-KOLA é apenas um mecanismo para ajudá-lo a entender.

Analogias

Exemplos: Minha conta-corrente é mais ou menos como uma cova sem fundo. Esses controladores de voo são tão desleixados quanto uma linguiça crua. Esse ar-condicionado soa como se alguém estivesse cortando madeira em um submarino.

Sua vez

Eu faço *cold calls* como um ______________________.

Meu escritório é tão ______________________________ quanto um/um a ______________________.

Metáforas

Exemplos: Vá até lá e bote para quebrar. Meu escritório é uma cova de leões. Esses novos estagiários estão pondo as mãos na massa.

Sua vez

Meu chefe é um ______________________ quando está nervoso.

O sol quente era um ____________________ na minha pele.

EXERCÍCIO

Sentenças metafóricas

Exemplos:

1º passo: selecione um substantivo (uma pessoa, lugar ou coisa). Por exemplo, um carro.

2º passo: encontre um substantivo diferente para comparar com isso. Vamos usar uma carruagem neste exemplo.

3º Passo: use os dois substantivos em uma frase: Meu carro é uma carruagem na minha mão.

Sua vez

1º passo. Substantivo: ________________

2º passo. Comparado a: ________________

3º passo. Sentença: ________________________

____

Em um workshop para planejadores financeiros, eu pedi aos participantes que escrevessem a primeira coisa que lhes viesse à cabeça para completar a frase "Eu sou como um...". A ideia era mostrar como eles podiam invocar memoráveis e vívidas imagens facilmente. Eu lhes pedi que selecionassem qualquer coisa que lhes viesse à mente – uma águia, uma cenoura, um tanque Sherman –, não importava. Normalmente a primeira coisa que vem à sua cabeça é a melhor, porque vem da "criança interior criativa". Uma vez que a força da criatividade interior é acordada, é mais fácil ter ideias com imagens no futuro.

Em seguida, os participantes foram direcionados a usar dois minutos para desenvolver a comparação. Foi pedido para que eles escrevessem o que lhes viesse à mente. Os participantes ficavam surpreendidos e satisfeitos com os resultados.

Uma mulher disse:

– Eu não tenho ideia de onde veio isso. Escrevi que sou como um cubo mágico... – pegando suas notas, ela leu: – Eu sou um enigma para alguns, mas fácil de resolver quando você sabe como. Sou colorida e tenho diferentes lados para minha personalidade.

Um homem falou em seguida:

– Eu sou como um oceano – ele sorriu. – Sou forte e profundo. Posso ser selvagem ou calmo. Posso levantar as pessoas e levá-las a outros lados.

Em seguida outra mulher levantou a voz:

– Eu sou como uma flor – ela disse.

– Que tipo de flor? – perguntei.

– Qualquer uma – ela respondeu.

Não é uma imagem boa o suficiente, pensei. Por que não? Porque eu não podia visualizar a flor em minha cabeça. Eu podia imaginar o cubo mágico e o oceano, mas a imagem dela não era específica o bastante. Para uma I-KOLA funcionar, a outra pessoa tem de estar apta a ver a mesma imagem que quem fala está visualizando. Nesse caso, ela poderia estar pensando em uma rosa e eu poderia ter criado a imagem de um girassol.

EXERCÍCIO

I-KOLAs pessoais

Invoque a imagem de uma coisa que melhor o representa e os seguintes aspectos da sua vida pessoal, como as pessoas no workshop para planejadores financeiros fizeram. Isso vai fazê-lo criar o hábito de incorporar I-KOLAs nas suas conversas diárias e revelar o lado criativo que está sempre à espreita abaixo da superfície de sua mente.

1. Eu sou como um ______________________________ porque ________________________.
2. Meu melhor amigo é como um ________________________ porque ________________________.
3. Meu trabalho é como um _____________________________ porque ________________________.

EXERCÍCIO

Uma imagem vale mais que mil palavras

Recentemente, conheci Najeeba na sala verde do *The Early Show*, em Nova York. O programa estava fazendo um quadro sobre como ser bem-sucedido em entrevistas de emprego e havia recrutado telespectadores que precisavam de ajuda. Nos dez meses anteriores ao programa, Najeeba, uma especialista em contas a receber desempregada, havia enviado 329 currículos e participado de 64 entrevistas sem receber uma única proposta de emprego. Eu conversei com ela sobre o modo como se apresentava e sugeri que ela criasse uma I-KOLA pessoal para destacar o que tinha a oferecer a seus empregadores em potencial. Na entrevista número 65, juntamente com todas as habilidades descritas no seu extenso currículo, ela disse "Eu sou como um Pit Bull: vigilante, leal e protetora". Ela conseguiu o emprego. Talvez tenha sido apenas sorte, mas talvez a oferta tenha sido feita porque Najeeba criou uma imagem positiva e incontestável na cabeça do entrevistador.

História contada

Histórias são para o coração humano o que o alimento é para o corpo. Anunciantes as lustram, publicitários as espalham, advogados as distorcem e religiões as exaltam. Nós as vemos desenvolver nas telas, nos livros e, quando não conseguimos achar uma que seja conveniente, nós as inventamos. E não é de se espantar. Nós somos naturalmente contadores de histórias; a habilidade está em nossos genes. Aprendemos o básico de contar histórias assim que aprendemos a falar. Quando chegamos aos cinco anos, contamos histórias para manipular, persuadir e conseguir o que desejamos. Mas para a maior parte das pessoas, contar histórias acaba aí. Nós ainda contamos, mas sem a estrutura para causar impacto em outras pessoas.

Mas histórias serviram de pivô nas vidas e carreiras de fazedores e encorajadores. O que você acha que Winston Churchill e John Lennon têm em comum? Ou Abraham Lincoln e Martin Luther King Jr.? Sem mencionar Jesus, Buda e Maomé. Eles todos contaram histórias para chamar atenção, capturar interesse, despertar desejo e mover os seus ouvintes a tomarem uma ação.

Mas eles nunca, jamais, usaram a história para vender diretamente. Se você provar o seu ponto e atingir os corações e mentes dos seus ouvintes, as vendas tomam conta de si mesmas.

> QUEM ENTRE NÓS NÃO GOSTA DE OUVIR UMA BOA HISTÓRIA?

Vamos dizer que você está introduzindo um novo serviço, um que acredita que a equipe de vendas vai achar heterodoxo, mas você acha que é visionário e tem potencial. Pode evocar a história de Aristóteles para fazer a sua argumentação: "Quando Aristóteles disse que o mundo era redondo, todos disseram que ele estava maluco...".

Ou você poderia citar Aristóteles para introduzir o desafio ao *status quo*, quebrando barreiras e tendo visão.

Onde a raça humana estaria hoje se aqueles como Cristóvão Colombo, os irmãos Wright ou os astronautas não tivessem perseguido seus sonhos? Essas histórias podem introduzir sua mensagem de liderança, trabalho em equipe ou coragem.

Quando Mark Burnett, o produtor de *O Aprendiz*, disse a seus amigos que faria um programa de televisão a respeito de entrevistas de emprego, disseram que ele estava louco. Mas Burnett estava certo de que contar a sua história poderia ser uma maneira de abordar os méritos de determinação, inovação e romper limites.

Como contar uma história: caminho das pedras

Contar uma boa história é como atravessar um riacho por um caminho de pedras. O riacho é o problema e as pedras são o caminho para a solução. Três pedras normalmente são suficientes. Você abre a apresentação em uma margem, pisa nas diferentes pedras durante o caminho e termina assim que pisa na margem oposta.

No começo, estando na margem do rio, você define a sua história e expõe o seu ponto. É aqui que você introduz o(s) personagem(ns) (quem), o ambiente ou localização (onde) e o tempo (quando). Pisando na primeira pedra, você explica o problema, dilema ou dificuldade. Movendo-se para a segunda pedra no meio da correnteza rápida do riacho, você descreve uma ou duas tentativas falhas de resolver o problema antes de saltar para a terceira pedra e revelar a solução. Conforme chega à margem oposta, você passa um fechamento emocional e reafirma o seu ponto. Ao apontar para o futuro, você pode convidar os seus ouvintes a se imaginarem na mesma situação e usarem o que aprenderam com sua história para resolver o problema. Comande os seus ouvintes a visualizar como utilizariam o que eles ouviram: "Apenas imagine...", "Imagine-se no futuro quando...", "A próxima vez que você se deparar com...".

Muitos palestrantes vão fisicamente de pedra em pedra enquanto falam. Eles, na verdade, visualizam as pedras no chão ao seu lado ou a sua frente, e então pisam na pedra apropriada conforme chegam naquela parte da história. Esse método é chamado de "marcação analógica" e ele liga a informação a um lugar específico no palco da mente da audiência. Se o palestrante quer fazer referência a algo na margem inicial ou em alguma das pedras já passadas, volta e fica em pé no lugar imaginário, de forma que a audiência esteja lá com ele e relembre o que disse antes.

Para ilustrar o meu ponto, aqui está uma história desenhada da minha própria experiência. Eu a uso para expressar uma das minhas principais crenças: "Não há fracasso, somente feedback".

(Na margem)

Eu vivo em uma fazenda em uma parte muito pitoresca do interior do Canadá. Meus vizinhos criam cavalos. Nos finais de semana, quando as pessoas vêm para cá para aproveitar a vista e os sons do interior, param e alimentam os cavalos junto à cerca e tiram fotos.

(Na primeira pedra)

– Eles estão me deixando louco – meu vizinho me disse em uma manhã de sábado. – Eu não me importo com pessoas parando para tirar fotos, mas elas precisam parar de alimentar os cavalos. Elas tentam dar cachorros-quentes, hambúrgueres e restos de pizza. Cavalos são vegetarianos, pelo amor de Deus! Eles apenas cheiram e deixam ali mesmo. Segunda-feira eu tenho de recolher todos os restos antes que atraiam moscas, ratos e cachorros.

(Na segunda pedra no meio do riacho)

– Então, eu coloquei uma placa com os dizeres NÃO ALIMENTE OS CAVALOS, mas o problema piorou.

– Eu não estou surpreso – disse. – Agora, todas as pessoas que nunca tinham pensado em alimentar os cavalos veem a placa e têm a ideia: "Oh, vamos alimentar os cavalos".

– Eu pensei que era porque a placa era muito imperativa. Então, mudei o que estava escrito para POR FAVOR, NÃO ALIMENTE OS CAVALOS, mas a situação se tornou ainda pior.

– É claro! Provavelmente, pessoas que passavam por ali pensavam: "Oh, que grande ideia, vamos parar e deixar que a vovó e as crianças alimentem os cavalos! Esse homem é educado, ele disse 'por favor'; e não vai se importar".

(Saltando para a última pedra)

– Nick – meu vizinho disse –, você tem de me ajudar! Eu já tentei de tudo. Eu desisto.

Eu rabisquei algumas palavras em um pedaço de papel.

– Tente colocar isso na sua placa.

Eu não o vi mais até o final do verão. Em uma noite, a caminhonete dele se aproximou da entrada da minha garagem e meu vizinho desceu sorridente.

– Nick, a sua placa funcionou como mágica!

Se você passa por lá, pode ver a placa que diz: NÓS COMEMOS APENAS MAÇÃS E CENOURAS.

(Chegando à margem oposta)

A única vez que você pode falhar em algo é quando para de processar feedback. Saiba o que quer, faça um plano e tome uma ação. Mas solicite feedback para descobrir como os seus esforços vão bem. Seja flexível e mude o que está fazendo até que consiga o que deseja.

(Olhando para o futuro)

Apenas imagine quanto sucesso você pode ter na sua vida quando deixa o feedback guiá-lo.

EXERCÍCIO

Cruzando o riacho

Pontuar a estrutura de uma história pode ser útil para aprimorar as suas próprias. Preencha os seguintes pontos a respeito da história das maçãs e cenouras:

O ponto: ______________________________
____

Quem: ______________________________
____

Onde: ______________________________
____

Quando: ______________________________
____

O problema: ______________________________
____

Primeira tentativa: ______________________________
____

Segunda tentativa: ______________________________
____

A resolução: ______________________________
____
____

Olhando para o futuro/Moral da história: ______________
____

Os dez testes para uma história

Suas histórias devem ser concisas e diretas ao ponto. Não há espaço para divagações e distrações. Cheque as suas histórias a partir dos dez testes abaixo e aperfeiçoe o seu desempenho.

1. A história levanta as três questões fundamentais: "E daí?", "Quem se importa?" e "O que eu ganho com isso?"?
2. Tem um ponto? Lembre-se: sem ponto, sem história. Qual é o ponto?
3. É diferente (não é mais uma história de escritório)? Faça-a interessante, diferente e até triunfante.
4. É emocional? Ela se conecta com as emoções da sua audiência?
5. Ela mostra e conta? Além de transmitir uma sequência de eventos, a sua história descreve como as coisas são, soam, cheiram, são sentidas e como são seus gostos? Para um melhor efeito, ela deve transmitir pelo menos algumas informações sensoriais.
6. É curta e simples?
7. Uma criança de dez anos consegue entendê-la?
8. É divertida?
9. Ela parece ser verdadeira?
10. Você evitou descrições detalhadas de pessoas, lugares e coisas? Tirou partes que não afetam diretamente a sua história?

EXERCÍCIO

Hora da história

É hora de contar algumas histórias. Comece decidindo qual é o ponto principal ao qual quer chegar e a mensagem que quer passar para os seus ouvintes. Uma vez que sabe o ponto, você pode começar a ponderar o seu gancho. O seu gancho é qualquer coisa que desperte o interesse da sua audiência e faça com que ela queira saber o que acontece em seguida. Os melhores ganchos fazem perguntas (declaradamente ou por uma implicação), introduzem o personagem, introduzem o dilema e/ou constroem uma antecipação do que está por vir.

As histórias mais comoventes vêm de experiências pessoais porque são reais e você a está contando. Sua audiência terá a vantagem de ler as dicas escondidas na sua linguagem corporal enquanto você conta a história.

Encontre alguém com quem você se sinta confortável – sua esposa, um amigo ou membro da família – e conte para ele ou ela histórias sobre os seguintes tópicos:

1. Um desafio que você superou no trabalho.
2. Um sucesso que você teve em casa.

Esteja certo de incluir o ponto, juntamente com "quem", "onde", "quando" e a problemática no início, coloque as suas tentativas de resolução no meio e ofereça uma solução no final. Então, descubra o que você aprendeu dessa experiência – a moral da história.

Grandes comunicadores contam histórias para tornar as coisas mais interessantes e para se conectar e motivar a sua audiência. A imaginação humana não é nada além do que a habilidade única do homem de distorcer informações que chegam por meio dos sentidos. Grandes oradores e comunicadores dependem da sua habilidade de alimentar a imaginação com o que mais gosta: imagens, sons, sentimentos, cheiros e sabores. Contar histórias é especialmente útil para ganhar harmonia com grupos, porque histórias atraem simultaneamente as pessoas visuais, auditivas e sinestésicas. Ademais, histórias fazem o aprendizado mais fácil, rápido e rico porque a informação é recebida em pacotes e não é necessário um processamento consciente. Enquanto você confia na pessoa que está lhe contando a história, e as palavras dela fizerem sentido, essa história vai ser recebida de braços abertos pela sua imaginação.

EXERCÍCIO

A história contada

Prepare uma história relacionada ao seu trabalho – algo que vá inspirar os seus empregados ou equipe. Sinta-se livre para procurar inspirações na internet ou no jornal local para ajudá-lo a pegar o jeito. Uma história sobre um time local de hóquei que ficou preso em um deslizamento de neve por dezesseis horas, sem comida, foi resgatado bem a tempo de jogar a final do campeonato, e jogou por um empate sem reclamar pode motivar o seu time no escritório. Use a lista da página 240 para testar sua história.

Parábolas, fábulas e anedotas são algumas das mais velhas e mais poderosas ferramentas de comunicação e são eficazes em praticamente qualquer situação. Histórias atiçam a imaginação e provocam os sentidos. Todo mundo adora uma boa história.

A história contada constrói pontes entre o lado racional da mente humana e o mundo sensorial; é uma forma de ligar a nossa imaginação interna à realidade externa. Use isso em sua comunicação diária e em seus discursos.

Capture a imaginação e faça com que o indivíduo ou um grupo tomem uma ação em quatro passos: Atenção, Interesse, Desejo e Ação. Para isso, você pode usar três distintas técnicas: *shish kebab*, I-KOLA e o caminho das pedras.

SHISH KEBAB

Um *shish kebab* tem um gancho, com o qual você captura a atenção da sua audiência; uma ponta, que é a sua mensagem principal; alguma carne, seus dados concretos; e um som de fritura, algo divertido que cria envolvimento emocional. Isso é usado para fazer apresentações rápidas, poderosas e memoráveis.

I-KOLA

Uma I-KOLA (acrônimo em inglês de "é mais ou menos como um/uma") faz conceitos complicados soarem simples, interessantes e memoráveis utilizando analogias acessíveis e animadas e metáforas.

CAMINHO DAS PEDRAS

A técnica do caminho das pedras oferece uma estrutura concreta para contar histórias que seguram a audiência. Ela envolve a montagem da cena e do desafio, descrevendo tentativas de resolução do problema e então revelando a solução.

BENEFÍCIOS DA HISTÓRIA CONTADA

Você pode usar as suas habilidades de história contada de inúmeras maneiras, incluindo:

- sugerir ideias aos funcionários, clientes, colegas de trabalho, acionistas, amigos e familiares;
- provocar mudanças no comportamento, hábitos e atitudes;
- guiar e motivar indivíduos, grupos e populações;
- quebrar barreiras e iniciar transformações;
- manter-se no topo da lista das pessoas;
- compartilhar seus valores;
- fazer conexões emocionais e comunicar-se em um nível pessoal;
- dar vida aos seus produtos e serviços;
- simplificar conceitos complexos;
- incrementar a apresentação de fatos e números.

Lembre-se do mais importante: Sem ponto? Sem apresentação.

O show deve continuar

Alguns anos atrás, eu era o convidado do *The Debra Duncan Show* em Houston, Texas. Era um especial de uma hora intitulado *America's Biggest Fear* (o maior medo da América) e era sobre falar em público. Os produtores haviam previamente solicitado espectadores que tinham problemas para falar em público, cujos trabalhos exigiam que fizessem apresentações constantemente. Eu supostamente iria ensinar como superar esse medo. Cinco pessoas foram escolhidas; três delas desistiram no último minuto.

No dia anterior ao show, eu tive o prazer de conhecer uma delas, a heroica Teresa. Meu trabalho era guiá-la do pânico para o equilíbrio. Teresa era um amor de pessoa, uma instrutora de primeiros socorros nos seus trinta anos, e o trabalho dela exigia que visitasse organizações e negócios para ensinar as pessoas a salvarem vidas. O único problema é que ela ficava apavorada quando precisava falar com grupos.

Algumas horas antes de nos encontrarmos, a emissora havia gravado Teresa fazendo uma apresentação para um grupo de estranhos em uma pequena sala de reunião. A gravação era angustiante de assistir porque Teresa mostrava todos os sintomas de pânico. Ela não fazia nenhum contato visual, usava um sorriso fixo e sofrido, engasgava e engolia algumas palavras e ficava em pé imóvel sobre, o que era claro, um par de pernas bambas. Finalmente, ela simplesmente parou de falar, vítima do maior pesadelo de todos os palestrantes: o bloqueio mental. Nós revisamos o vídeo juntos e passamos uma hora estudando sobre o que ela iria falar. Não escrevemos um discurso para ela; apenas criamos uma estrutura para o que ela gostaria de falar. Mas essa não era a parte mais importante da nossa discussão.

Eu usei uma parte significativa do nosso encontro apresentando a Teresa alguns exercícios que poderiam ajudar a liberar sua palestrante em potencial.

– Como você pode ganhar a vida com isso? – ela me perguntou.

– Simples. Eu me preocupo muito com o meu tema. Você não consegue convencer se não se importa. Sou apaixonado pelo meu tópico e nunca deixo meus nervos atrapalharem.

Eu preciso achar um jeito de fazer Teresa se preocupar intensamente com seu tema.

– Você está no negócio de salvar vidas, Teresa. É seu dever sair e falar com o maior número de pessoas possível a respeito de primeiros socorros. É o seu dom. Você salvará vidas aparecendo no show amanhã. Um homem, uma mulher, um adolescente, talvez dúzias deles nas semanas e anos que virão; todas essas pessoas salvas porque alguém ouviu você falando apaixonadamente sobre primeiros socorros e foram tocadas a ponto de fazer algo elas mesmas. Você precisa disseminar a palavra.

Teresa mudou o seu foco de olhar internamente – pensando nela mesma e em sua ansiedade – para olhar externamente, pensando nos outros e em como o que ela tinha a dizer poderia ajudá-los a salvar vidas. Ela usou a imaginação para visualizar o melhor resultado da sua apresentação – uma audiência interessada no que ela tinha a dizer – e não no pior (ela mesma, tropeçando e envergonhada).

> É MUITO MAIS FÁCIL SER CONVINCENTE SE VOCÊ SE IMPORTA COM O ASSUNTO. DESCUBRA O QUE É IMPORTANTE PARA VOCÊ EM SUA MENSAGEM E FALE COM O CORAÇÃO.

Nós gastamos uma hora mais ou menos repetindo alguns exercícios, incluindo o *shish kebab* da página 222 e Teresa foi para casa determinada a praticar o que eu havia mostrado, decidida a superar de uma vez por todas a sua fobia enfraquecedora.

No dia seguinte às 9 horas da manhã, Teresa subiu ao palco em frente à plateia do estúdio com 250 pessoas e uma audiência de dezenas de milhares de telespectadores, e falou sobre o seu problema em encarar qualquer audiência. Depois de dez minutos de conversa, a apresentadora perguntou a Teresa se ela imaginava que a sua nova atitude faria alguma diferença. A resposta de Teresa foi pedir a Debra Duncan o seu microfone e andar em direção à plateia. Pelos três minutos seguintes, ela perguntou algumas questões a respeito de primeiros socorros como se fosse dona do lugar. Todos estavam boquiabertos. Debra Duncan, como a pessoa inteligente e carismática que é, teve de perseguir Teresa e pedir o seu microfone de volta, brincando enquanto perguntava:

– Ei, de quem é este show afinal?

EXERCÍCIO

Pratique, pratique, pratique

A grande sacada de se conectar com grupos é que quanto mais você faz, mais fácil isso se torna – o problema é que a maior parte de nós não tem muitas chances de ganhar experiência. Claro que pessoas naturalmente extrovertidas, indutoras e controladoras geralmente se sentem mais confortáveis que as mais introspectivas, analistas e sonhadoras, mas quanto mais você pratica, melhor fica.

Existem vários meios pelos quais você pode adquirir essa experiência. Quando nossas crianças estavam no começo da adolescência, eu e minha esposa fizemos um trato com elas. Na primeira terça-feira de todo mês, na hora do jantar, iríamos "visitar" outro país. Nossas cinco crianças decidiam qual país elas queriam visitar a cada mês, e Wendy e eu pesquisávamos o cardápio e preparávamos um jantar de três pratos para cada destino escolhido. Durante o jantar, cada filho concordava em fazer uma apresentação curta e informal sobre alguns aspectos predeterminados daquele país: clima, turismo, indústria, política e exportação.

Todos nós tínhamos um mês para nos preparar. Eu me lembro de uma vez ter atendido ao telefone e ouvir: "Aqui é do consulado mexicano, eu poderia falar com a Sandy?". Sandy tinha só dez anos na época e havia ligado pedindo informações. Em seguida elas chegaram pelo correio. A princípio, as crianças eram muito tímidas e ficavam nervosas, mas não demorou a aprenderem umas com as outras a como fazer suas pesquisas e suas apresentações mais agradáveis e informativas. Às vezes, chamávamos alguns convidados para participar da diversão – nós nunca levamos o conteúdo muito a sério. Essas aventuras continuaram por mais de um ano, e nós tivemos uma experiência maravilhosa.

Hoje, as crianças não pensam duas vezes quando têm de fazer uma apresentação ou um discurso. Você acha que esse exercício as ajudou na escola e, mais para a frente, na vida? Pode apostar que sim. Você acha que é muito cedo ou tarde demais para começar a aprender uma habilidade tão importante quanto esta? Não é. Ache uma maneira de praticar a sua habilidade de falar em público. Você pode começar pequeno – até mesmo contando para as pessoas no jantar sobre um artigo interessante que você leu no jornal ou *on-line*. Tenha certeza de que você tem um gancho, uma ponta, alguma carne e um som de fritura. (veja a página 206).

Mais tarde, quando Debra perguntou a Teresa o que mais havia contribuído à sua transformação, a resposta foi uma surpresa para todos. Ela disse que a coisa mais importante que ela havia aprendido era o exercício de respiração que eu havia passado, chamado "movendo as suas narinas".

Bem, foi uma surpresa para todos menos para mim. Tinha ficado óbvio, quando Teresa e eu estávamos conversando no dia anterior, que a imaginação dela estava debilitando-a. Ela estava presa, com medo da imagem mental que criava do que poderia sair errado. Da mesma maneira que você não pode fazer uma pessoa sorrir dizendo "Sorria", um fotógrafo sabe muito bem que não consegue fazer alguém relaxar dizendo "Relaxe". Você tem de fazer acontecer. O medo nos olhos de Teresa ativou uma memória em mim e eu contei a seguinte história.

Minha filha mais nova, Pippa, viveu corajosamente toda a sua vida com asma. Nas primeiras horas da manhã, há muitos anos, ela acordou com sérias dificuldades em respirar e sua bombinha não estava ajudando. Eu a peguei no colo, coloquei-a no carro e fui em direção ao hospital para usar o inalador, aproximadamente trinta quilômetros da fazenda onde moramos.

Depois de oito quilômetros, a respiração dela estava pior. Ela sabia que não deveria entrar em pânico e eu também, mas queria desesperadamente *fazer algo* para ajudar. Do nada, eu me lembrei do que havia ensinado a mim mesmo no internato: como "mover as suas narinas". Antigamente eu tinha um problema com cheiros. Certos cheiros desagradáveis me davam uma ânsia de vômito incontrolável, e um internato britânico não era o lugar para revelar uma fraqueza como essa.

Eu tentei dezenas de truques para lidar com o problema, mas nenhum deles funcionou. Então num dia de puro desespero, imaginei que minhas narinas estavam no meio do meu estômago e, magicamente, o cheiro pareceu desaparecer. Naquela manhã, no carro com Pippa, eu gentilmente pedi para que ela fechasse os olhos e imaginasse a entrada de uma grande caverna, do tamanho que ela quisesse, bem no meio de sua testa.

– Agora, deixe todo o ar do mundo entrar e sair pela caverna, o quanto você quiser.

Eu falei com ela calmamente e, dentro de um minuto ou dois, minha filha preciosa estava calma e relaxada. A crise havia passado.

Vamos falar sobre respiração por um momento. Você se lembra da última vez que alguém realmente lhe assustou? Alguma vez que alguém passou no sinal vermelho na sua frente e você achou que a batida era inevitável? Como era a sua respiração quando tudo acabou? Rápida, curta e rasa, certo? Essa é a respiração "lutar ou fugir" e todo o seu corpo responde a essa dica: o seu coração dispara, a adrenalina aumenta rapidamente e você imagina o pior. Você precisa mudar o paradigma e começar da barriga, numa profunda e relaxante respiração.

Antes que conseguisse “mover as suas narinas”, Teresa precisava respirar mais fundo. Para começar com a respiração da barriga, disse a Teresa:

– Coloque uma mão no seu peito e a outra abaixo do seu umbigo e pratique respirar até que a mão no seu peito não se mova mais e a mão do abdome se mova para fora cada vez que inalar, e para dentro cada vez que exalar.

Ela achou fácil e não demorou muito para estar sorrindo. Respiração pela barriga permite que assimile duas vezes mais ar do que a respiração pelo peito que a maioria das pessoas utiliza. Então, na primeira vez que você fizer terá uma boa sensação.

Agora é hora de mover as narinas de Teresa.

– Conforme você continua a respirar para dentro e para fora no seu abdome, imagine que as suas narinas estão logo abaixo do seu umbigo e respire para dentro e para fora por ali, diretamente na sua barriga.

Ela riu.

– Nossa, isso é tão fácil.

– Faça de novo, mas dessa vez veja se você consegue sentir o cheiro do café.

Havia uma jarra de café fresco e quente na sala.

– Não, só quando eu volto para o meu nariz – ela disse e nós dois rimos alto.

Enquanto você estiver concentrado na sua respiração, as suas fobias irão recuar. Essa técnica deu liberdade para dezenas de pessoas: um homem que tinha medo de elevadores, uma mulher com medo de facas de cozinha. Esse dia, em Houston, deu a Teresa a confiança de que ela precisava para ir e ensinar primeiros socorros ao estado do Texas.

EXERCÍCIO

Respiração quadrada

Aqui está outro exercício simples de respiração para relaxá-lo antes de uma apresentação. Inale devagar, contando até quatro; exale por quatro segundos; segure por quatro segundos; exale por quatro segundos; segure por quatro segundos. Repita dez vezes.

Assim como a respiração "lutar ou fugir", o seu corpo inteiro vai responder a isso diminuindo o ritmo do sistema. Você irá ficar devagar e o seu corpo irá relaxar assim que entender a mensagem de "está tudo bem".

Quando você se sentir confortável, aumente a contagem para oito em todos os momentos e depois doze. Alguns minutos por dia por uma semana devem fazer com que chegue lá. Você levará essa incrível habilidade até a cova. A única coisa é que, quanto melhor você ficar em respiração quadrada e quanto mais a fizer, mais longe a sua cova vai ficar.

Chegando ao seu ponto

Eu contei a Teresa sobre a metáfora do caminho de pedras para moldar a sua narrativa e ajudá-la a criar uma abertura, que iria capturar a atenção do seu público e transmitir o assunto imediatamente. Ela decidiu começar com uma pergunta simples para imediatamente envolver sua audiência:

– Quantos de vocês sabem o que RCP significa?

Eu disse que se ela quer que as pessoas levantem a mão, tem de levantar a mão dela primeiro. Quando alguém responder, inclua o seu assunto quando repetir a resposta de volta para o público.

– Sim, ressuscitação cardiopulmonar. E se você desmaiar agora, eu posso salvar a sua vida, porque eu sei como fazer – esse comentário era muito Muldoon.

Nós dividimos e editamos a mensagem de Teresa em três pilhas de informações e colocamos cada pilha em uma pedra do seu caminho, completando com fatos e distrações divertidas. Quando ela passou pela sua pergunta de abertura – "Quantos de vocês sabem o que RCP significa?" – e todas as mãos se levantaram, Teresa brincou um pouco com o público por alguns momentos e então parou na sua primeira pedra. Ela não precisava de notas, pois conseguia ver o que a esperava na próxima pedra. Ela estava usando a imaginação a seu favor e não contra.

Teresa sabia o que estava esperando por ela na próxima pedra e na pedra depois daquela, e podia prosseguir cada vez que se sentisse pronta. Ao invés de paralisá-la, a imaginação fez com que ela visse, ouvisse, sentisse, cheirasse e saboreasse o que estava por vir, e isso permitiu que ela compartilhasse o seu conhecimento.

Na margem mais distante estava o seu fechamento emocional – uma história real sobre um colega administrador que ela havia ensinado, que salvou a vida de seu próprio pai em uma festa de gala.

O maior medo dos Estados Unidos é um testamento à imaginação fértil. Quando a imaginação vai ao encontro da força de vontade, razão e lógica, ela sempre ganha. Você pode ser escravo da sua própria imaginação ou transformá-la em uma serva disposta e poderosa. Uma vez que você tem a sua imaginação sob controle, pode focar-se em se engajar com a imaginação do seu público, que é a chave para a real conexão e comunicação.

A prática leva à perfeição

Quando Mário fez o seu primeiro contato comigo, havia acabado de completar quarenta anos. Ele administrava uma clínica de medicina esportiva com mais de vinte empregados, próxima a Kansas City. Ele era pai solteiro de uma menina e de um menino adolescentes.

– Eu tenho de fazer um discurso para um grupo de trezentas pessoas da indústria no ano que vem e estou apavorado – ele me disse. – Eu decidi sair da minha zona de conforto e tentar ser mais relaxado quando falo com grandes grupos.

Algumas pessoas recorrem a organizações como a Toastmasters*

* ONG fundada em 1924 nos EUA que ajuda seus membros a praticar a arte de falar, ouvir e pensar.

para praticar suas habilidades de apresentação. Outros ligam a câmera e trabalham sua apresentação nos seus quartos e porões. Ainda há outros que pagam fortunas para treinadores coreografarem uma rotina. Todas essas abordagens têm seus méritos. Mas eu prefiro a abordagem simples e natural, começando pequeno com coisas que importam a você.

Aqui está um desafio: faça uma nova atividade que envolva contato direto com pessoas novas.

– Eu adorava dançar, e realmente me importo em ajudar as pessoas – disse Mário, – mas deixei de confiar em estranhos e a ideia de me levantar à frente de uma plateia me deixa em pânico.

Eu o desafiei.

– Vamos começar com a sua ansiedade perto de estranhos. Você diz que gosta de dançar e quer ajudar pessoas. Faça aulas de salsa e ache um lugar no qual possa ser voluntário. Se você quer resultados e está determinado, prove!

Nove dias depois, Mário me mandou um e-mail: "Eu procurei estúdios de dança aqui da minha região, mas a maioria deles é para animadores de torcida. Mas eu não desisti. Um teatro local está fazendo audições para o *Rocky Horror Show*. Eu tenho certeza de que lá precisam de voluntários. Estou nervoso e animado com isso. Eu me juntei à liga de *softball*."

Imagine a minha surpresa quando eu abri este e-mail duas semanas depois. "Eu só queria que você soubesse que fiz o teste para o *Rocky Horror*. Eu estava com medo. Mas fiz e fiquei feliz que tive coragem de fazer o teste. Bom, consegui um papel. Esperava conseguir algo de fundo no refrão ou até cenário móvel, vendendo ingressos. Mas eles me ofereceram o papel principal."

Mário não é o que você pode chamar de alto e magro. Exigiu muita coragem e determinação para ele se desprender e se envolver. Com os seus empregados e filhos torcendo por ele na noite de abertura, ele tomou coragem e se arriscou. A produção amadora fez vinte apresentações completamente esgotadas e Mário praticou, praticou e praticou encenar em frente ao público.

– Eu estava sobrecarregado com medo por dez segundos, e foi isso – disse Mario. – Eu passei pela barreira e amei cada minuto.

– E então? – perguntei assim que a apresentação terminou. – Como você se sente agora sobre dar a sua palestra no ano que vem?

– Deixe comigo – Mário sorriu. – Se alguém me dissesse há seis meses que a minha vida poderia ser emocionante e que eu conseguiria ficar em frente ao público e não engasgar com as palavras, diria que era louco. Mas aconteceu. Internamente sei que todos somos criativos, mas a grande maioria nunca mostra por medo de fazer papel de bobo. Eu estava fechado. Olhando para trás, poderia ter ficado daquela forma para sempre.

Mário fez o seu discurso na convenção de indústrias. Ele subiu ao palco e olhou devagar para algumas pessoas da plateia e fez contato visual com alguns indivíduos. Então sorriu.

– Eu trabalho melhor sob pressão – declarou. – E neste momento estou fervendo de animação.

Ele se conectou com a sua audiência rapidamente e fez o seu discurso. Todos sentiram a sua paixão. Em seguida, foi abordado por três pessoas diferentes que perguntaram se ele faria um discurso aos seus empregados. E ele fez.

EXERCÍCIO

Dominando a ansiedade do último minuto e o nervosismo do primeiro

Mova-se

Felizmente sua mente e seu corpo são parte do mesmo sistema. Você não consegue se sentir tímido com as mãos nos bolsos de trás, não consegue se sentir nervoso se está pulando com os seus braços e pernas esticados. Antes de prosseguir, encontre um lugar privativo (o banheiro serve) e sacuda o seu corpo.

No pódio da ansiedade

Encontre um rosto amigável. Eles sempre estão lá, são os "acenadores". Deus os abençoe, acenando, concordando com você e sorrindo. Eles normalmente representam 5% do público. Encontre três ou quatro e recorra a eles para conforto.

Respiração quadrada

Algumas vezes você pode se encontrar em uma situação na qual não consegue levantar e andar confiante. Tente a respiração quadrada para se acalmar (página 231).

Tendo um branco

Tenha um bote salva-vidas. Muitos palestrantes, especialmente aqueles que não usam notas, ocasionalmente têm brancos. Pode acontecer por diversas razões. No meu caso, acontece quando dou mais de uma palestra por dia. Eu acabo me perguntando se já disse aquilo. Algumas vezes já falei, mas normalmente foi na palestra anterior, no começo do dia. Sempre tenha para onde ir. Em palestras interativas, eu faço perguntas. Idealmente as suas perguntas serão relacionadas ao seu tópico ("Alguém já vivenciou...?"), mas podem ser simples como "Alguém quer fazer alguma pergunta?".

Sucesso não depende apenas de quão bem você faz o seu trabalho, também depende de quanto você se importa e como se conecta com as pessoas e transmite a sua mensagem. A habilidade de se levantar e se apresentar vai levar sua carreira e sua confiança a lugares que você nunca havia imaginado. Mário e Teresa aprenderam que falar para um grupo de pessoas não é uma questão de obrigação; é uma questão de paixão. Não é uma questão de nervos, mas uma questão de prática.

Você pode começar hoje e seguir a liderança de Mário com esses dois passos simples.

1. Envolva-se.

Abra mão de televisão, videogames e outros passatempos até que você tenha um novo compromisso cara a cara que aconteça pelo menos semanalmente – quanto mais frequente melhor –, fora de casa, com novas pessoas, em uma atividade que envolva contato humano. Tenha aula, envolva-se com um teatro amador ou um grupo de improviso, voluntarie-se como um guia turístico, trabalhe em uma mesa de informações, junte-se a uma organização de serviços para a comunidade – todas essas opções são boas.

2. Permaneça envolvido.

Compareça ao seu compromisso cara a cara regularmente por três meses. Mário queria se esconder e fugir, mas não fez isso. Ele juntou forças e fez funcionar. Ele me mandou um e-mail recentemente contando que se juntou a uma banda com três médicos ("Nick, é bom para os negócios"), está fazendo um teste para um papel em *Annie*, e anexou três fotos dele pulando de paraquedas!

Mostre um pouco de personalidade

Harry, um ortodontista bem conhecido, é frequentemente requisitado a dar palestras sobre a sua metodologia. Ele é um homem claramente sério, então sempre seleciona o seu guarda-roupa para combinar com o seu lado autoritário, mas com a finalidade de parecer disponível para sua audiência. Harry sempre usa seus "espetáculos espetaculares".

Harry usa óculos desde os seus doze anos. Uma vez ele tinha que dar um discurso após o jantar da associação de ortodontistas, os seus óculos haviam escorregado para debaixo do pé que apoiava a mesa e não dava para ser recuperado até que o evento terminasse.

Felizmente, sua esposa, Doreen, tinha uma prescrição praticamente idêntica à dele. Mas, infelizmente (ou foi o que ele pensou no momento), Doreen estava estreando seus óculos novos aquela noite, aqueles com a armação branca da moda.

O show tinha de continuar – Harry levantou-se, óculos brancos e tudo. Ele não fez menção aos óculos e continuou como se tudo estivesse perfeitamente normal. E ele foi um sucesso. Na verdade, foi um sucesso maior naquela noite do que em qualquer outra anterior. Depois, ele disse a Doreen que deviam ter sido os óculos que lhe trouxeram sorte. Doreen disse que ele parecia um artista de cinema e comprou um par para o Dia dos Pais. Ela embrulhou e deu a ele com um cartão no qual estava escrito: "Você estava espetacular".

O sério Harry se conectou com o ambiente antes de ele (ou de qualquer um na audiência) abrir a boca, porque aquelas lentes espetaculares agregaram um ar de disponibilidade à sua aparência autoritária, e isso é certeza de sucesso.

A ARTE DE APRESENTAR

Tudo que você aprendeu até agora entra em jogo quando está fazendo uma apresentação.

- **Estabeleça credibilidade e autoridade.** Mantenha uma atitude realmente útil, contato visual, sorriso, imagem pessoal e tom de voz envolvente.
- **Transmita o seu ponto nos primeiros noventa segundos ou menos.** A audiência tem três perguntas recorrentes na cabeça: "E daí?", "Quem se importa?", "O que eu ganho com isso?". Nada deixa a sua audiência mais impaciente do que não saber o que está fazendo ali. Seu ponto tem de conter causa e efeito com os quais a audiência consiga se relacionar.
- **Preocupe-se com o seu assunto**. Não tente ser um ator no palco. Amarre-se a uma grande ideia – algo significativo – e a sua conexão com a audiência virá do coração.
- **Controle a sua respiração**. Use a técnica da respiração quadrada (inspire, contando até quatro; prenda a respiração por quatro segundos; expire, contando até quatro; prenda a respiração por quatro segundos; repita dez vezes) para ajudá-lo a relaxar e superar o medo de falar em público.
- **Mostre um pouco de personalidade**. Mostre sua personalidade durante a sua apresentação. Isso lhe permite se conectar e se comunicar melhor com a sua audiência.
- **Inclua I-KOLAs, *shish kebabs* e histórias contadas**. Essas técnicas direcionam a sua audiência para os seus sentidos, para imagens, sons, sentimentos, cheiros e sabores – para o reino da imaginação. Use-as. Fazem a sua apresentação muito mais rica.

"As oportunidades multiplicam-se à medida que são agarradas."
– *Sun Tzu*

Posfácio: Para onde vamos agora?

Você agora tem uma série de ferramentas para fazer conexões e passar ideias adiante a clientes, colegas e contatos em potencial, mas há uma última peça que muitas pessoas ignoram e que eu gostaria de passar adiante: trate cada conexão que você estabelece como se fosse a mais importante que você já fez. Porque pode ser. Eu digo isso porque sei que é verdade.

Há muitos anos, minha filha de 14 anos, Kate, disse-me que uma nova loja de aromaterapia tinha inaugurado na nossa vila, mais ou menos a 16 quilômetros da fazenda onde moramos. Ela me perguntou se eu a levaria lá para ver a loja.

Enquanto Kate estava explorando o lugar, eu me envolvi em uma conversa com a dona, Alexandra. Ela me disse como abriu a pequena loja e então perguntou com o que eu trabalhava. Eu estava lançando o meu primeiro livro naquela época.

Na semana seguinte, Alexandra me ligou para dizer que estava reunindo um pequeno grupo de pessoas para falar sobre aromaterapia, e perguntou se eu queria falar por vinte minutos sobre o meu livro. Eu concordei e passei um fim de tarde muito agradável me conectando com o grupo de amigos dela. No fim da noite, três deles me perguntaram se eu conduziria um workshop de treinamento se juntassem um grupo.

Eles conseguiram juntar mais de quarenta pessoas e alugar uma sala em um hotel local. Nós tivemos uma sessão incrível. Uma das jovens moças atendentes levou o primo dela para o evento. Duas semanas depois esse rapaz telefonou e perguntou se eu apresentaria um seminário para setenta membros da rede de contatos dele. Eu fiz isso. Uma das pessoas que esteve presente naquela sessão trabalhava para uma companhia de planejamento de reuniões. Ele foi embora e me recomendou para a empresa dele como orador.

> MINHA ÚLTIMA PALAVRA: ESTEJA ABERTO A OPORTUNIDADES; VOCÊ NUNCA SABE ONDE FARÁ SUA PRÓXIMA CONEXÃO IMPORTANTE.

Dois anos depois, eu era o orador de abertura da conferência nacional de vendas da AT&T, e estava me apresentando para uma multidão de seiscentas pessoas. Isso foi, nas palavras deles, "um sucesso marcante". Eu nunca mais olhei para trás desde então.

Sim, a sorte teve um papel muito importante naquela linha de sucessos, mas tão importante quanto o fato de eu estar pronto para me conectar quando a oportunidade apareceu. A moral da história: nunca negue um convite da sua filha de 14 anos para visitar uma nova loja de aromaterapia na vila. Você nunca sabe onde sua próxima conexão importante será feita. O mundo é cheio de oportunidades se você mantiver seus olhos abertos para elas.